Fe Inquebrantable

LA FE QUE PERMANECE
AUNQUE OTROS SE DETENGAN

ÁNGELO HERNÁNDEZ

POWER
LION
BOOKS

Editado por: Ofelia Pérez
OfeliaPerez.com
Power Lion Books

Obsequio de portada: Jennybert Grullón

Fe Inquebrantable
La fe que permanece, aunque otros se detengan
© 2020 por Ángelo Hernández
ISBN: 978-1-63732-959-7
Impreso en los Estados Unidos de América

DEDICATORIA

Este sueño es dedicado primeramente

a la mejor persona

que brinda los sueños:

Jesús.

El mismo que cuando estuve

en lugar de oscuridad,

fue a rescatarme

con su amor puro e incondicional.

AGRADECIMIENTOS

A mi gran amiga y aliada de tantas vivencias, Liz Marie, gracias por apoyar este proyecto, y por las veces cuando te hacía escuchar varios de los capítulos aun estando cansada y casi quedándote dormida.

Al Pastor Benjamín Caraballo (mi Abuelito). Gracias a ti escuché por primera vez el nombre de Jesús. Gracias por mostrarme ese amor sin límites, sin fronteras, sin etnias, ni religión. Aquí estoy como te prometí aquel día: "Continuando este legado que no va a morir, y seguiré anunciando a Jesús a todas las generaciones". Descansa en paz, mi viejo Pastor.

Le expreso también mi gratitud a mi mamá y a mi familia, que fueron parte de todo este caminar y estuvieron siempre para mí aun en momentos duros. Mami, gracias por ser la guerrera que luchó por nosotros por muchos años como madre soltera. Gracias por enseñarme a ser el hombre que hoy día soy.

Quiero también hacer espacio para un gran hombre de Dios que en el momento cuando me acerqué a él con el proyecto terminado le pedí que fuera la persona que le diera los últimos y más importantes toques. A mi amigo, el Pastor Luis Alberty, quien fue la persona que tuvo a cargo parte de la preparación de este libro. Brother, gracias por tu paciencia y dedicación a esto. Gracias por aceptar ayudarme y por ser un gran amigo y mentor en dicho proyecto. Mi familia y yo estaremos eternamente agradecidos por tu vida, tu familia y tu amistad.

Por último y no menos importante, gracias a todo nuestro equipo de trabajo del *Unstoppable Team* (Equipo Imparable), los locos, como les digo; los que siempre están ahí para mí en todas nuestras locuras. Chicos, gracias, porque sin ustedes esto no se podría concretar. Todos nos impulsaron a terminar esta obra, pero hay una en particular, Mamá Rosa Robles, que siempre me veía en los servicios y me decía: "El libro, ¿pa' cuándo? ¿Qué ha pasado con él, Ángelo?".

Madre, gracias por siempre creer en mí; eres especial.

A todos los chicos, ¡los amo!
Ángelo

ÍNDICE

PRÓLOGO

Después de más de treinta años editando libros, miro más que lo que otros ven. Busco habilidades únicas, estilos diferentes, dones difíciles de encontrar... sí: esos dones especiales que caracterizan y marcan la diferencia. No te equivoques, lector. En este libro, estás ante el Ángelo Hernández iniciándose como escritor, aparte del predicador ungido y el hombre de fe.

Esta es una historia de fe con matices de historia bíblica, pero ocurrida en este siglo, en una familia como las nuestras. El impacto de leer en nuestros días, en nuestra comunidad, una historia de fe donde se asoma la amenaza de lo imposible, es que nos recuerda que Dios es el mismo ayer, hoy y siempre; que los milagros no se limitan al ministerio de Jesucristo de hace miles de años. Nos recuerda que siempre es tiempo de milagros para los que tenemos fe. Lo sobrenatural de Dios no era una costumbre hebrea: es una promesa eterna.

Como si estuviera enarbolando una historia de intriga, Ángelo te deja de momento en la historia, en el hilo de una frase, hasta unir ese hilo mucho más abajo, con una lección y un descubrimiento que no pudiste imaginar. Mientras tanto, avanzas porque sabes que tienen que decirte el final de la historia, y lees y lees desaforadamente, y por fin llegas. No te cuento más. Llegar es parte de la emoción de leer.

Mi pregunta fue: "¿Predicas igual?". Porque predicar dejando a uno en suspenso y saber hilvanar el mensaje al final es todo un arte y un don de pocos. Les dejo intrigados con la respuesta. Si no lo han escuchado, escúchenlo.

Esa habilidad no es la única razón para que sigas leyendo este libro hasta terminarlo y esperar el segundo libro. Es el vocabulario sencillo y claro que escritores famosos tuvieron que esforzarse por lograr. Mientras algunos escritores buscan palabras rebuscadas, muchos que han llegado a la cima han preferido que los entiendan y han escogido palabras claras. Es el uso apropiado del lenguaje más sencillo lo que hace a un libro, una lectura para todos.

Una razón ineludible para leer este libro es el despliegue de la fuerza de la fe. Tu única alternativa según lees este libro es reafirmar tu fe porque las situaciones te estremecen y no tienes más opción que creer que Dios va a obrar también en tu vida, si tienes alguna duda. No quiero adelantarte mucho, pero la unción del Abuelo invadirá tu Espíritu y nada podrás hacer. ¡Qué personaje poderosamente inolvidable!

Otra razón obligatoria es la oportunidad de leer una vida. Estoy segura de que Ángelo necesitó verdadera valentía para vaciar su vida en este libro y balancearla con pensamientos profundos de enseñanzas inesperadas, muy aplicables. El que escribe o conoce a los escritores sabe que en cada palabra va el alma y que uno se siente despojado de algo que lleva muy adentro. Se necesita valor. Escribir para otros es una forma de darse para que alguien aprenda de lo que ya viviste.

Apoyo este libro, no porque lo edité y, de hecho, considero un honor que Ángelo me pidiera este Prólogo. Lo respaldo porque es un estilo difícil de lograr, y aún es de fácil acceso al lector; es una vida volcada en papel, algo de valor incalculable; y la narrativa es inusual, efectiva y provocativa.

Así se descubren los talentos. *Fe Inquebrantable, la fe que permanece aunque otros se detengan* es una interesante sorpresa. Sigue en fe. No pares. Ni en este libro. Ni en el paso de tu vida. Menos en tu fe. Y sigue leyendo. Será una experiencia imparable hasta el final.

Ofelia Pérez
Ministro Ordenado (ICCM)
Editora profesional
Autora de *Necesito a Papá* y *When is Daddy Coming?*

INTRODUCCIÓN

Me siento tan feliz de poder llegar y alcanzar a tantos de ustedes por medio de este gran tesoro. Tenemos la seguridad de que este libro transformará muchas vidas mientras te vas adentrando en las páginas de este viaje. Hay cientos y aun miles de ustedes que tal vez no podré conocer personalmente, pero a través de las páginas de esta maravillosa aventura nos conectaremos de tal manera, que será como si estuviéramos sentados todos juntos en una mesa tomándonos tal vez una rica y caliente taza de café.

Nuestros destinos se entrelazarán y ustedes podrán recibir a través de esta historia, una impartición de lo que es *Fe inquebrantable aunque otros se detengan.* Fue el título que decidimos ponerle a esta obra después de haber transcurrido un largo camino con personas que amamos, pero que por diversas razones se rindieron y abandonaron el rumbo de una fe sin límites.

Así que desde ya estoy agradecido de tu compañía por entrar junto a mí a esta sala de cine. Prepárate y ponte cómodo, que ya las luces se están apagando. Asegúrate de haber comprado el popcorn de tu preferencia y las golosinas que tanto te gustan, porque ciertamente los necesitarás.

Hemos sentido en nuestro corazón que este libro caerá en manos de los futuros y más grandes líderes que nuestra generación nunca ha conocido. Son ellos los descalificados, los rechazados y los marginados por la sociedad; aquellos que cambiarán la historia con su historia, de la misma manera que lo pudimos lograr nosotros, y aún estamos en proceso y experimentándolo.

Aquí verás la historia de un Ángelo o "Flaco" como todos lo conocen, que fue apodado en el pasado como "Pulguita". Él sería desafiado en la vida a ir por más. A lo largo de la historia decido tomar un espacio para retroceder a momentos que fueron cruciales en mi vida.

Esta historia es para todos aquellos que se atreverán a soñar y a empujar los límites en su vida por encima de las palabras negativas de personas que no creerán en ti. Sin importar cuáles sean las metas que tengas, los logros que tal vez obtengas atléticamente hablando, tus deseos de emprendimiento, la búsqueda del amor, y demás cosas, este libro tiene algo para todos, entre muchos ingredientes que deberás agregar, **fe inquebrantable** y testimonio de cómo aferrarte a ella.

En el transcurso descubrirás cómo el Dios Todopoderoso puede transformar el odio, el rencor y la furia más grande que puede tener alguien en contra de otro, en un amor sobrenatural e inagotable; en un amor innegable y en un amor que todo lo puede hacer. Serás guiado a la dirección correcta del amor de Dios.

Él está dispuesto a sostenerte con sus manos por debajo de tus brazos y ayudarte a afirmar tus pies, para que puedas comenzar a dar tus primeros pasos. Como todo un Padre, sabe que tus reflejos están muy débiles y por eso está dispuesto a convertirse en tu sostén en medio de las circunstancias.

Cuando completes este libro, nuestro deseo es que ya tengas un plan y la inspiración necesaria para desbloquear tu máximo potencial y lograr tu propio propósito en la vida sin depender de alguien más.

Únete a mí en este viaje por varios temas poderosos. ¡No te arrepentirás! Te aseguro que este libro mantendrá viva tu pasión, y tu corazón humilde y humillado ante la presencia de Dios.

Sentir temor a tener que dar
un paso a lo desconocido
cuando hemos recibido
una palabra de parte de Dios,
puede ser algo normal
en nuestras vidas,
pero ese temor nunca deberá
convertirse en una excusa
para no obedecerle.
Leíste bien, amigo, ¡nunca!

1 HACIA LO DESCONOCIDO

Porque yo sé muy bien los planes que tengo para ustedes —afirma el Señor— planes de bienestar y no de calamidad, a fin de darles un futuro y una esperanza. (Jeremías 29:11)

Hoy es uno de esos días... sí, esos días en los que después de despertar en la mañana, hasta que decides volver a dormir en la noche, te encuentras bien feliz. Y es que en ocasiones no encuentras otro momento oportuno donde poder darle gracias a Dios por el tiempo que has vivido aquí en la tierra y por todas las bendiciones que Él te ha brindado.

Hoy me encuentro celebrando mi cumpleaños número... (mejor ni digo porque literalmente ya casi no los celebro) Un 14 de enero del 19... hace ya ni sé cuántos años, el creador me dio la grata oportunidad de venir a la vida a disfrutar de lo más grande que cualquier persona pudiera vivir, que es el propósito de Él en este mundo. Esto sin duda alguna fue para mi familia un gran desafío, ya que era una de esas familias primerizas.

No obstante, sin importarles nada, mis maravillosos padres aceptaron el grandioso reto de formalizar una de las cosas más hermosas en la vida de los seres humanos, uno de los tesoros más grandes: *la familia*. Sin duda alguna fue uno de esos momentos a los cuales llamo: "Un salto a lo desconocido".

Nosotros, en algún momento de la vida, damos "un salto a lo desconocido". Detente y hazte unas preguntas que todos nos podríamos hacer:

- ¿Alguna vez has sentido que Dios te ha llamado a dar un salto a lo desconocido?

- ¿Has dado pasos desconocidos en tu caminar aquí en la tierra?

En ocasiones, dar un paso en obediencia a lo que no entendemos, aunque provenga de Dios, nos causa mucho trabajo asimilarlo y hasta nos puede causar grandes molestias. La realidad es que todos nosotros hacemos de todo un poco en la vida, pero nunca queremos hacer que nuestro cuerpo, nuestra mente y nuestro espíritu salten hacia algo que no conocemos, aunque el resultado pueda traer grandes experiencias de la mano de Dios.

Sucede que en la mayoría de los casos se nos hace muy difícil dar este tipo de brincos, por cuanto sabemos que los mismos pueden traer cambios drásticos y significativos a nuestras vidas.

Hoy más que nunca debemos entender que por lo general los seres humanos se rehúsan de manera consistente a todo aquello que pueda producir cambios a su alrededor, ya que los cambios o las transiciones, cuando no podemos entenderlos, en la mayoría de los casos nos incomodan y llegamos al punto de no querer aceptarlos.

Sentir temor a tener que dar un paso a lo desconocido cuando hemos recibido una palabra de parte de Dios, puede ser algo normal en nuestras vidas, pero ese temor nunca deberá convertirse en una excusa para no obedecerle. Leíste bien, amigo, ¡nunca!

La Biblia nos revela en muchas ocasiones los duros procesos y las grandes victorias que tuvieron que atravesar aquellos hombres que se destacaron en gran manera a lo largo del tiempo, por los grandes logros y hazañas que realizaron de la mano de Dios, dando un gran paso de fe hacia lo desconocido. Rehusarse a caminar en obediencia nunca los hubiera acercado a su destino profético para alcanzar la victoria. Si hay alguien que pudo experimentar en carne propia lo que es caminar en fe hacia aquello que no le fue revelado del todo, fue el profeta Jeremías.

Él tuvo un gran cambio en su vida al recibir aquella palabra en donde Dios le dejaba saber los planes que tenía para él como profeta de Dios en aquel entonces, aunque no le reveló todos los procesos que tendría que atravesar para alcanzar los planes.

Hay muchos momentos cuando Dios te mostrará dónde estás y hacia dónde vas o dónde terminarás, pero nunca te revelará el proceso que tendrás que atravesar; lo que está en medio entre dónde estás y dónde terminarás.

Yo creo que, si me preguntaras una posible razón, sería la siguiente: si Dios nos contara o revelara el proceso que vamos a atravesar por saltar a lo desconocido y aceptar su voluntad, simplemente no lo tomaríamos y renunciaríamos a todo antes de siquiera intentarlo.

Por eso el caminar hacia lo desconocido para Jeremías solo fue un acto de fe en obediencia a la Palabra de Dios, con el fin de hacer cumplir su voluntad. Así que todos debemos tener en claro que toda palabra que sale de la boca de Dios siempre traerá cambios significativos a la vida de cada persona. Hoy mi oración es que, al adentrarte en esta aventura, tú puedas comprender y aceptar todo tipo de cambios que pudieran ocurrir al leer estas líneas, y disfrutar junto a nosotros esta maravillosa locura.

Donde la travesía comienza

Conocí hace muchos años a una pareja que al parecer tuvo que dar un salto súper grande a lo desconocido, a pesar de que ellos tenían muchos factores que iban en contra de lo que querían y deseaban. Ellos tenían muchos deseos de abandonarlo todo y no continuar con aquellas cosas que les abrumaban en sus pensamientos. Sin embargo, no tuvieron miedo de asumir con responsabilidad lo que ellos mismos habían buscado por sus propias decisiones.

Los nombres de aquella pareja eran Noemí y Miguel Ángel. ¿Y quiénes eran ellos? Pues, préstame atención porque esta historia acaba de comenzar. Noemí era esta típica jovencita que fue criada en el evangelio. Sus padres se desempeñaban como pastores de unas iglesias pentecostales en Puerto Rico. Ella era una muchachita muy tímida, pero con un corazón tan grande como el de toda una guerrera y una leona. Vivió por mucho tiempo con una muy buena amiga en un residencial público llamado El Trébol en el pueblo de San Juan, Puerto Rico. La joven Noemí, por muchas razones y situaciones, se había apartado del Señor, entre las diversas situaciones familiares que no pudo procesar en aquellos momentos.

No es un misterio para ninguno de nosotros entender que en ocasiones la vida cristiana suele tornarse un poco fuerte para aquellos que somos hijos de pastores o estamos involucrados en el ministerio a tiempo completo.

Las cargas que muchos de nosotros llevamos de manera directa o indirecta nos pueden afectar en algún momento de nuestra vida. No porque sea mala, al contrario, esta tiene sus momentos fabulosos y maravillosos, sino porque muchas veces nuestros padres nos llevan por caminos que para nosotros pueden ser un poco complicados de entender, a veces sin darnos la oportunidad de elegir por nosotros mismos lo que deseamos hacer en la vida.

> DIOS TE MOSTRARÁ DÓNDE ESTÁS Y HACIA DÓNDE VAS O DÓNDE TERMINARÁS, PERO NUNCA TE REVELARÁ EL PROCESO QUE TENDRÁS QUE ATRAVESAR.

No pretendo al escribir estas líneas que como padre les permitas a tus hijos hacer lo que quieran, pero tampoco debes presionarles en áreas donde ellos no van a reaccionar como tú deseas.

Hoy día conozco a muchísimos amigos que han pasado por esta difícil experiencia y me han expresado que la imposición brusca que vino de parte de sus padres los llevó y ha llevado a tomar decisiones, que en lo más profundo de su corazón ellos no querían tomar.

Esto nos puede llevar a pensar: "¿Ángelo, y por qué lo hicieron entonces?". La respuesta puede sonar fuerte, pero carga un peso de realidad grandísima y es por **rebeldía**.

¿Qué es la rebeldía?

Definamos este término: ¿Qué es la rebeldía? La rebeldía es un tipo de comportamiento que se caracteriza por la resistencia o desafío a la autoridad en la vida de alguien.

Esto nos deja entender que la desobediencia en la vida de muchos se da cuando se procede a no querer acatar una orden o al incumplimiento de alguna obligación, ya sea de manera justa o injusta por alguna causa.

Es por esta misma causa que algunos cristianos llegan a apartarse de los caminos de Dios, cuando en sus pensamientos y actitudes entienden que están siendo obligados a tomar decisiones que para ellos no son correctas, aunque las mismas puedan serlo, aunque al final reconocen que Dios no es el culpable de esa drástica decisión tomada por ellos mismos.

LA VIDA CRISTIANA SUELE TORNARSE UN POCO FUERTE PARA AQUELLOS QUE SOMOS HIJOS DE PASTORES.

En otras palabras: habitualmente tomamos decisiones bajo nuestra propia responsabilidad, aunque sepamos con anticipación que al final de estas fracasaremos completamente.

Por esa razón aquella jovencita, aun sabiendo que sus decisiones podrían traerle malas consecuencias, decidió mudarse con su mejor amiga. La joven Noemí me contaba en la conversación sostenida que durante el tiempo que estuvo viviendo con ella, sucedieron diversos acontecimientos muy negativos, pero también otros que no lo fueron del todo.

Ella me decía que una de las más fuertes experiencias fue el día en que conoció a un hombre llamado Miguel Ángel. Y, ¿quién era él? Este era el típico hombre que en muchas ocasiones le gustaba llamar la atención de todos los que estaban a su alrededor.

A simple vista Miguel Ángel aparentaba estar siempre bien ante los demás y tenerlo todo. Era el hombre rudo y fuerte que pareciera que no pasaba ninguna situación ni ningún tipo de problema en su vida. Sin embargo, como todo ser humano, guardaba en su corazón una vida que lo había marcado muy fuerte, con más de un proceso duro y, sobre todo, extremadamente dolorosos.

Recuerdos negativos y ladrones energéticos

A decir verdad, hoy día existen muchas personas como Miguel Ángel. Ocultamos en nuestra mente algunos recuerdos que no han sido procesados de manera positiva. Son pensamientos que traemos a la memoria, que viven y están estacionados en nuestro subconsciente, y tristemente, aunque no lo quieras aceptar y tampoco lo quieras creer, poco a poco nos van desgastando. Son como ladrones silenciosos y hasta algunos son personas que llamo "ladrones energéticos".

Pero, Flaco, ¿quiénes son esos ladrones energéticos? Son aquellos que solo llegan para contarte problemas, dramas, quejas, miedo y hasta juzgan constantemente a otros. Por eso debes cuidarte de todo eso, porque ese tipo de problemas o personas solo están buscando un cubo para tirar toda su basura. Así que, hazme el favor de procurar que no utilicen tu mente como zafacón de basura.

A los recuerdos negativos o situaciones les llamo "problemas tipo cáncer". Los que saben de medicina pueden afirmar que la enfermedad del cáncer es una de esas silenciosas que se va comiendo por dentro a las personas, literalmente.

Pues así son las experiencias de dolor que muchos de nosotros pasamos en la vida y en muy pocas ocasiones hablamos con alguna persona o amistades, con el fin de ventilarlas y/o poder lidiar con las mismas. Son estas células cancerosas que no saben dejar de crecer ni cuándo deben morir. Lentamente se van apoderando de nuestro sistema destruyendo todo lo que está en su camino hasta dejarnos sin aliento de vida.

> DIOS NO TIENE PROBLEMAS; ÉL TIENE SOLUCIONES.

Por eso verás en la Biblia en el segundo libro de los Reyes una historia que relata la angustia que sintió una madre al perder a su único hijo, a quien Dios mismo le había concedido por medio de una palabra profética de parte del profeta Eliseo.

La mujer se puso en marcha y llegó al monte Carmelo, donde estaba Eliseo, el hombre de Dios. Este la vio a lo lejos y le dijo a su criado Guiezi: —¡Mira! Ahí viene la sunamita. Corre a recibirla y pregúntale cómo está ella, y cómo están su esposo y el niño. El criado fue, y ella respondió que todos estaban bien. Pero luego fue a la montaña y se abrazó a los pies del hombre de Dios. Guiezi se acercó con el propósito de apartarla, pero el hombre de Dios intervino: —¡Déjala! Está muy angustiada, y el SEÑOR me ha ocultado lo que pasa; no me ha dicho nada. (2 Reyes 4:25- 27)

Esta historia nos enseña algo interesante, y es que en ocasiones Dios tendrá ocultas algunas cosas que no siempre serán reveladas a los hombres y mujeres que le sirven a Él. Esta mujer, en medio de su pérdida, fue en busca del profeta para que le ayudara con su situación. Ella decidió llevar en silencio lo que estaba sucediendo y no decirle nada a su esposo. Aunque estaba angustiada, no había perdido la esperanza de que la solución estaba en manos del profeta y no en manos de las personas a las cuales ella tal vez pudo haberles contado.

Hoy debes entender que si este libro llegó a tus manos es porque no tengo duda en mi corazón de que lo que estás pasando en tu vida tiene una solución. Solo que es momento de buscarla en el lugar correcto, a la hora y el tiempo correctos, porque debes saber que Dios no tiene problemas; Él tiene soluciones.

Te repito, amigo o amiga, que solo tienes que ir al lugar correcto, en el tiempo adecuado y el espacio perfecto. La mujer no fue a un cementerio a enterrar a su hijo, sino que fue a lo que era una representación viva de la presencia de Dios aquí en la tierra: el profeta Eliseo.

Volvamos a nuestra historia. Por su estilo de galanazo, la joven Noemí no soportaba a Miguel porque ella decía que él era muy "guillao".[1] Noemí le comentaba a su mejor amiga que ella no disfrutaba de la presencia de él, por cuanto sus actitudes le incomodaban. Pero lo que Noemí no se podía explicar a sí misma era que, aunque su estilo de vida le incomodaba, ella se sentía muy fuertemente atraída por el joven Miguel.

Su atracción fue tan fuerte que ella llegó al punto en que decidió darse la oportunidad de conocerlo. Fue ahí donde ambos decidieron ir juntos hacia lo que hemos llamado en este capítulo, lo desconocido.

---

1   Palabra muy usada en Puerto Rico para describir a una persona que le gusta presumir o alardear de lo que posiblemente tenga y no sea realidad.

En aquel entonces Miguel ejercía la profesión de barbero mientras que a su vez estudiaba, con el fin de adquirir una segunda profesión más amplia como trabajador social. Mientras todo transcurría, entablaron una linda relación y compartían muchas de las experiencias adquiridas en su caminar con el fin de conocerse más. Dentro de todo ese tiempo, la idea de compartir juntos como pareja cada día se fortalecía más.

Es que Dios le había hablado al

Pastor acerca de un varón

que nacería en su generación,

que continuaría el gran legado

que Dios había depositado en la

familia y, sobre todo, en sus manos.

Por medio de él Dios

salvaría a muchos en su

generación.

2 CREER EN LA PROMESA

La relación entre Noemí y Miguel fue tomando un giro demasiado repentino; ellos pasaron de una simple relación de amistad a una de noviazgo, y de ahí a una relación donde llegaron a la intimidad sexual, aunque ellos no se habían casado. Ese fue el momento cuando, para sorpresa de Noemí, ella descubrió lo inesperado y esto cambiaría su vida para siempre. La noticia no se hizo esperar: Noemí estaba embarazada.

En medio de la confusión, la incertidumbre, el temor y el nerviosismo comenzaron a invadirla, por cuanto ella no sabía cómo enfrentar la situación, porque fue su primera vez. En medio de los temores, el sentimiento maternal que estaba comenzando a tener provocó en ella una gran alegría.

En medio de la mezcla de sentimientos y temores Noemí se preguntaba: "¿Cómo le comunico a Miguel que va a ser padre? ¿Cómo este tomará la noticia? ¿Me matará o me amará más?". Fueron unas de muchas preguntas que ella se hizo antes de comunicar la gran noticia a Miguel. El miedo la invadía, pero la alegría le hacía saber que todo estaría bien.

Así que después de analizar la situación y pensar por un largo tiempo, Noemí se dio a la tarea de comentarle a su pareja la inesperada noticia, y a esto le llamaba...

El tiempo de la llegada a lo desconocido

Cuando ella le informó a Miguel que serían padres, al principio fue un golpe muy fuerte para él, como también lo puede ser para algunos hombres el conocer que van a ser padres. Lo más fuerte es que este lo sería por segunda vez, ya que tenía un primer hijo de un año, de una relación que había sostenido anteriormente. Lo inevitable sucedió, ¿y qué pasó? Miguel aceptó su responsabilidad y finalmente recibió la grata noticia de que sería papá por segunda vez.

Les hago mención de que había sido un golpe fuerte la noticia para Miguel, porque él no sabía si su sueldo laboral le alcanzaría para mantener a su familia y a este nuevo bebé que, sin buscarlo, había llegado. Su oficio de barbero no era muy rentable, ya que las ganancias por un recorte de cabello en aquel entonces fluctuaban entre los tres a cinco dólares.

CUANDO DIOS TIENE UNA PROMESA SOBRE TU GENERACIÓN, NO IMPORTA LO QUE SUCEDA, VERÁS SU CUMPLIMIENTO.

Aun así y con todo pronóstico de incertidumbre que se avecinaba en su contra, ambos aceptaron el gran reto de ir hacia lo desconocido y asumir la responsabilidad que se había desatado.

Hay que contarle al Pastor

Después de ambos hablar y pensarlo bien, llegó el momento cuando decidieron contarle al padre de Noemí. Al desconocer la reacción que esto le causaría a su padre, quien a su vez era su Pastor, decidió ser ella, Noemí, la que le daría la inesperada noticia. Sin duda fue un poco fuerte la noticia para él, ya que se encontraba pastoreando una iglesia de un concilio muy reconocido en Puerto Rico.

Él, más que nadie, comprendía que la noticia traería sus consecuencias, pues como Pastor y predicador que ha guardado un testimonio para Dios y para su comunidad de fe, sabía que sería señalado por algunos miembros de su congregación y compañeros del ministerio, por tener una hija embarazada fuera del matrimonio.

Te imaginas que los peores pensamientos pasaron por su mente en aquel momento. La incertidumbre de cómo enfrentaría la situación con su congregación y compañeros no dejaba de preocuparle al que era su Pastor, pero, sobre todo, su padre.

Como todo padre que promueve los valores, el papá de Noemí insistió en que ellos deberían casarse de inmediato.

Noemí rápidamente le comentó a su pareja que su padre estaba dispuesto a casarlos y ayudarlos a pesar de que no habían hecho las cosas bien desde el principio.

Para Noemí y Miguel el problema no era el de casarse, sino que había una pequeña situación que Miguel aun no le había comentado completamente a Noemí. Y esto sería otro pequeño caos además del que ya había de por medio.

Miguel aún continuaba casado, aunque no estaba en una actual relación con quien legalmente era su esposa, quien de igual forma tenía una relación sentimental con otra persona. Así que Miguel le dijo a Noemí que resolvería primero el asunto del divorcio, para luego poder casarse y continuar con todo. Por razones que se desconocen, nunca logró hacerlo.

Ninguno de los dos tenía dónde comenzar a vivir dentro de la mala situación, ya que Noemí vivía con su mejor amiga como antes mencioné. Así que el Pastor, a pesar de que la noticia no le agradó desde el principio, les dijo: "Vayan a vivir a casa hasta que puedan resolver los asuntos que tienen pendientes".

Continuidad del legado

El papá de Noemí, después de meditarlo, decidió darles hospedaje en su hogar a pesar de las críticas que sabía que recibiría por parte de muchos hermanos; no tan solo de algunos de sus miembros de su iglesia, sino sobre todo del concilio al que pertenecía.

Cuando escuché esta historia por primera vez me vino un pensamiento muy interesante, y le pregunté a Noemí: "¿Qué le hizo cambiar de parecer a tu papá, el Pastor?". Esta, sonriendo, me respondió: Es que Dios le había hablado al Pastor acerca de un varón que nacería en su generación, que continuaría el gran legado que Dios había depositado en la familia y, sobre todo, en sus manos. Por medio de él Dios salvaría a muchos en su generación.

Al escuchar esta historia, no pude evitar pensar en dos relatos bíblicos muy grandiosos. En primer lugar, la historia de José y María, donde ella tuvo que pasar por momentos de incertidumbre, pensando siempre en el qué dirán por la criatura que llevaba en su vientre cuando aún no se había casado con el joven José. Sin embargo, lo que ella estaba cargando en su vientre era algo más que una simple promesa que salía de la misma presencia de Dios para todas las generaciones.

> *El nacimiento de Jesús, el Cristo, fue así: Su madre, María, estaba comprometida para casarse con José, pero, antes de unirse a él, resultó que estaba encinta por obra del Espíritu Santo. Como José, su esposo, era un hombre justo y no quería exponerla a vergüenza pública, resolvió divorciarse de ella en secreto. Pero, cuando él estaba considerando hacerlo,*

*se le apareció en sueños un ángel del Señor y
le dijo: «José, hijo de David, no temas recibir
a María por esposa, porque ella ha concebido
por obra del Espíritu Santo. Dará a luz un
hijo, y le pondrás por nombre Jesús, porque
él salvará a su pueblo de sus pecados". Todo
esto sucedió para que se cumpliera lo que
el Señor había dicho por medio del profeta:
«La virgen concebirá y dará a luz un hijo, y lo
llamarán Emanuel» (que significa «Dios con
nosotros») Cuando José se despertó, hizo lo
que el ángel del Señor le había mandado y
recibió a María por esposa.* (Mateo 1:18-25)

El segundo fue el Rey Salomón. A pesar de las malas
decisiones de su padre David y su madre Betsabé, Dios se
movió a misericordia, poniendo la mirada en él en el día de
su nacimiento, y dice el contexto que Dios lo amó desde
aquel día.

*Luego David fue a consolar a su esposa y se
unió a ella. Betsabé le dio un hijo, al que David
llamó Salomón. El Señor amó al niño y mandó
a decir por medio del profeta Natán que le
pusieran por nombre Jedidías, por disposición
del Señor.* (2 Samuel 12:24-25)

El cumplimiento de la promesa

¿No es increíble esto? ¿No es poderosa y extraordinaria esta historia? En medio de las malas decisiones de una joven y de las consecuencias que esta tuvo que enfrentar, la misericordia de Dios se posó sobre esta familia, dándole Dios una palabra a su padre de que él cumpliría su propósito en su descendencia por encima de las pruebas y dificultades, con la promesa de que este pequeño bebé sería su sucesor. Dios estaba mostrando su gracia y favor a toda su familia a través de una palabra revelada que le dio al padre de Noemí.

Si eres un padre que está leyendo estas líneas, permíteme declararte una palabra sobre la vida de los tuyos. Tus hijos fueron un regalo del Dios vivo y de poder, el cual cumplirá su propósito en ellos, en el momento más inoportuno de tu vida.

Cuando Dios tiene una promesa sobre tu generación, no importa lo que suceda, verás su cumplimiento.

Así que prepárate, mamá, para ver a tus hijos siendo usados por Dios para cambiar esta generación como le sucedió a la familia de esta historia.

De cierta manera, lo que movió al Pastor a misericordia para asumir esta nueva etapa de su vida, fue un deseo intenso en su corazón de saltar hacia lo desconocido, y así provocar que la palabra que él había recibido tuviera su perfecto cumplimiento.

Fue así como tanto Noemí como Miguel se fueron a vivir a casa del Pastor. Al poco tiempo de vivir en aquella casita de madera de solo tres cuartos, el Pastor les dijo que si querían construyeran en la parte de atrás de su casa, ya que había suficiente espacio en el terreno para realizar otro proyecto. Construyeron allí la casita que fue el hogar de ambos y de toda su humilde familia.

Muchos grandes hombres en la historia

fueron personas ordinarias

que confiaron en un Dios

que tiene el poder

de cambiar las cosas por extraordinarias.

3 LA FE INQUEBRANTABLE

Acordaos de vuestros Pastores, que os hablaron la palabra de Dios; considerad cuál haya sido el resultado de su conducta, e imitad su fe.
(Hebreos 13:7, RVR 60)

Es interesante cómo el autor del libro de Hebreos invita a los primeros cristianos a vivir un estilo de vida al máximo. Motivaban a los fieles a imitar las buenas conductas de aquellos líderes que les guiaban en su diario vivir, no tan solo con palabras, sino siendo ejemplos vivos del mensaje que querían trasmitir, con operación de milagros, portentos y acontecimientos extraordinarios.

Pero es aún más extraordinario saber que podemos alcanzar, obtener y lograr las mismas cosas aplicando una **fe inquebrantable** de aquellos líderes espirituales que, de alguna manera, habían transmitido lo que un día recibieron de lo alto: que podían obtener cosas aún mayores que las que ellos habían alcanzado.

El escritor les insta a estar enfocados en el resultado que estos habían obtenido en su caminar como testimonio, y a su vez, nos invita a imitar la fe de ellos. Cada vez que uno imita la conducta de alguien, algo se afecta en nuestras vidas, ya sea para bien o para mal. Y fue exactamente lo que esta pareja hizo: imitar de cierta manera la fe de aquel Pastor después de haber recibido la Palabra de Dios de que levantaría a alguien que continuaría su legado ministerial dentro de la familia.

Un nacimiento incierto

En el proceso de vivir en su nuevo hogar, llegó el momento que todos esperaban y el que no solo traería alegría, sino también lágrimas de agonía, dolor y un espíritu de desesperación dentro de la familia. Comienzan los dolores y el corre y corre tradicional de las familias cuando llega el momento de los nacimientos de sus hijos.

Todos estaban a la espera y, como de costumbre, llega a la familia la noticia del médico de que todo había salido bien y que había nacido un niño sano y súper saludable.

La noticia llena de alegría a toda la familia, sin tener la mínima idea de que un año y medio más tarde, algo no saldría como ellos lo esperaron, pero de esto les hablaremos más adelante. El médico informó que el niño nació con buena salud. La noticia fue acogedora y en los días siguientes llevaron al niño para su nuevo hogar junto a toda la familia. El partir hacia su nuevo destino estaba acompañado de mucha alegría.

¿Alguna vez has estado de camino hacia tu destino?

Sin duda alguna todos hemos tenido que tomar la determinación de andar hacia el destino en algún momento, o no estaríamos donde estamos ahora mismo.

Un destino es un lugar a donde se dirige alguien o algo. Muchas personas no conocen cuál es su destino porque nunca se han dado a la tarea de buscarlo.

A veces pensamos que alcanzar solo una cosa es sinónimo de que hemos obtenido nuestro destino final. Soy de los que creen, en un plano personal, que cuando hablamos de destino, no hablamos de un acto meramente final. No creo que Dios nos haya creado para alcanzar una sola cosa en nuestra vida porque si fuera así, hace tiempo hubiéramos dejado todos de existir. La Palabra nos muestra que, en un momento dado, Jesús estaba hablando con sus discípulos y les decía:

> *Cualquier cosa que ustedes pidan en mi nombre, yo la haré; así será glorificado el Padre en el Hijo.* (Juan 14:13)

Observemos que Jesús comienza diciendo, *"cualquier cosa"*, y en otra versión (RVR 60) dice, *"todo"*, como si nos estuviera impulsando a creer que no hay límites, no hay fronteras, no hay paredes en su poderoso nombre, que te puedan detener. Tú solo debes pararte en tu posición, pedirle y declarar:

> *Voy a llegar a mi destino cueste lo que me cueste porque sé quién fue el que me llamó y me escogió, y ese que me llamó a mí, y te está llamando hoy también a ti, es un Dios sin límites.*

Amigo, te tengo una muy buena noticia que te hará saltar, correr, silbar y treparte por las paredes: *para Dios no hay nada imposible.*

El libro de Génesis relata una mega historia de un hombre llamado Abraham que experimentó en su tiempo el ver y escuchar al Dios que no tiene límites para nada. La historia se encuentra en Génesis 15:5, donde nos revela que lo introdujo en una experiencia sobrenatural, donde le habló y le mostró su porvenir.

> *Luego el Señor lo llevó afuera y le dijo: Mira hacia el cielo y cuenta las estrellas, a ver si puedes. ¡Así de numerosa será tu descendencia!*

Dios fue tan claro con Abraham, que lo desafió a que saliera del lugar donde estaba para ir a un lugar desconocido y que pudiera ver algo que nunca había visto. Por eso llegarán momentos donde el desafío de Dios para nosotros será tan grande que nos veremos intrigados por salir de nuestros límites, para ver, escuchar y obtener cosas que nunca hemos visto. Pero tenemos que salir de allí.

Por eso Dios había sacado a Abraham de lo común y tradicional, para que viera más allá de lo que él veía y mucho más allá de las fronteras que el ser humano pudiera alcanzar. En otras palabras: Dios le dejó claro a Abraham que nadie podía limitar su autoridad y su poder cuando Él fijaba su propósito en una vida.

Abraham salió a contar estrellas en un escenario no común, ya que cuando analizas la historia bíblica verás claramente que aquel escenario era a plena luz del día y era imposible que algo así pudiera suceder en ese preciso momento.

Pero allí solo estaban dos conversando: en primer lugar, el que estaba lanzando un desafío y, en segundo lugar, el que aceptaba el desafío, para entonces poder comenzar su llamado, el cual marcaría la historia, no tan solo de un individuo, sino de toda una gran nación y una nueva generación. Era un hombre ordinario que se atrevió a creerle a un Dios extraordinariamente sobrenatural.

¿Sabías que en las manos de Dios eres extraordinario? Si aún no lo sabes, solo te invito a que dejes que Él te tome en sus manos para que veas que tu vida ordinaria pasará a ser una extraordinaria. *Muchos grandes hombres en la historia fueron personas ordinarias que confiaron en un Dios que tiene el poder de cambiar las cosas por extraordinarias. Ellos* creyeron y por esa razón vieron resultados grandiosos en todas sus generaciones.

A veces el destino que nos toca vivir no es el que hemos soñado o diseñado para nuestro futuro. En la vida de esta pareja surgió algo que ellos no esperaban, ni mucho menos su familia. Un día común para Noemí, el niño comienza a llorar fuertemente. Su madre, preocupada, verifica qué le ocasionaba el llanto al niño, y el niño lloraba porque necesitaba que lo cambiaran de pañal.

Fue en aquel momento cuando comenzó a suceder lo que llamé "inesperado" al escuchar aquel relato. Cada vez que el niño necesitaba un cambio de pañales, siempre comenzaba a llorar y su mamá no entendía, y pensaba que al niño no le gustaba que lo cambiaran.

Era el momento cuando en medio de una situación como aquella, su madre prefería sonreír y decir en voz alta: "a este parece que no le gusta que lo cambien". Pasado algún tiempo el suceso se repetía una y otra vez, hasta que uno de esos días estaba la tía del nene junto a sus padres. Esta tenía estudios de enfermería.

Ella vio aquella escena y rápido invitó a los padres del bebé a que lo llevaran al médico para que le hicieran un chequeo, porque ella decía que eso no era normal. Los padres aceptaron, pero con la condición de que antes le iban a celebrar su primer cumpleaños al bebé.

Una fiesta con sombras de dolor

Llegó el gran día de celebración y, para nosotros los boricuas, esto de las fiestas es algo grandioso y de mucha algarabía. Los boricuas solemos ser un poco fiesteros, pero que conste, lea bien, solo un poquito nada más. Todo estaba arreglado y listo para la celebración del primer añito de aquel bebé.

¿Qué padre no añora que llegue ese día del primer año de su bebé en la Isla o en cualquier parte del mundo, donde hay globos por todos lados, niños corriendo de aquí para allá, padres atendiendo a los invitados, payasos, juegos y casas de brinco? Dentro de todo este escenario que te puedes imaginar, allí estaba el bebé con mucha alegría, compartiendo con otros niños.

Aquella tarde mientras se encontraba dando sus primeros pasos por el patio de aquella vivienda, como lo hacía siempre también en su casa, un nuevo acontecimiento se abría paso en la vida del niño.

Él daba pasos que revelarían un nuevo desenlace familiar, tanto, que marcaría sus vidas para siempre; circunstancias adversas que nos enseñan que en la vida de todo ser humano hay pasos a través de nuestro desarrollo físico, psicológico y espiritual, que no solo marcarán nuestras vidas, sino que traerán a la luz lo que está encubierto, para mostrarnos lo que ha de venir en nuestro futuro más cercano.

Hay batallas

que te tocará enfrentar

que no representan atrasos,

sino que son

el escenario perfecto de

promoción

a lo próximo que el Padre

tiene destinado para ti.

4 FE Y DESTINO

Alguien que vivió más o menos algo parecido fue David. Él tuvo que *dar un paso de obediencia hacia lo desconocido para llegar al escenario de victoria,* donde su experiencia dentro de los acontecimientos lo catapultaría y lo daría a conocer ante toda una nación que necesitaba a alguien que fuera inquebrantable y que tuviera una fe igual. La Biblia relata uno de los acontecimientos donde David enfrentaba al gigante Goliat, en el primer libro del profeta Samuel.

> ... *«¡Yo desafío hoy al ejército de Israel! ¡Elijan a un hombre que pelee conmigo!» ... Goliat, el gran guerrero filisteo de Gat, salió de entre las filas para repetir su desafío, y David lo oyó... David preguntó a los que estaban con él: ¿Qué dicen que le darán a quien mate a ese filisteo y salve así el honor de Israel? ¿Quién se cree este filisteo pagano, que se atreve a desafiar al ejército del Dios viviente? ... Algunos que oyeron lo que había dicho David se lo contaron a Saúl, y este mandó a llamarlo. Entonces David le dijo a Saúl: ¡Nadie tiene por qué desanimarse a causa de este filisteo! Yo mismo iré a pelear contra él.*

¡Cómo vas a pelear tú solo contra este filisteo!
—replicó Saúl... No eres más que un muchacho,
mientras que él ha sido un guerrero toda la
vida. David le respondió: A mí me toca cuidar el
rebaño de mi padre. Si este siervo de Su Majestad
ha matado leones y osos, lo mismo puede hacer
con ese filisteo pagano, porque está desafiando
al ejército del Dios viviente. [David]tomó su
bastón, fue al río a escoger cinco piedras lisas, y
las metió en su bolsa de Pastor. Luego, honda en
mano, se acercó al filisteo... David le contestó:
**Tú vienes contra mí con espada, lanza y
jabalina, pero yo vengo a ti en el nombre del
Señor Todopoderoso, el Dios de los ejércitos
de Israel, a quien has desafiado. Hoy mismo
el Señor te entregará en mis manos; y yo te
mataré y te cortaré la cabeza... Todos los que
están aquí reconocerán que el Señor salva sin
necesidad de espada ni de lanza. La batalla
es del Señor, y él los entregará a ustedes en
nuestras manos...** Metiendo la mano en su
bolsa sacó una piedra, y con la honda se la lanzó
al filisteo, hiriéndolo en la frente. Con la piedra
incrustada entre ceja y ceja, el filisteo cayó de
bruces al suelo. Así fue como David triunfó sobre
el filisteo: Luego corrió a donde estaba el filisteo,
le quitó la espada y, desenvainándola, lo remató
con ella y le cortó la cabeza... (1 Samuel 17:1-58,
énfasis añadido)

Aquellos pasos que parecerían inciertos tal vez para David lo llevaron a un cambio de escenario en una gran transición de cuidador de ovejas a una posición de palacio, donde más adelante se convertiría en el Rey de aquella nación.

Una de las cosas que he aprendido en mi caminar es que siempre debemos cuidar los pasos que damos en todas las áreas de nuestro diario vivir, porque habrá diversos caminos a escoger y muchos pasos que tendremos que caminar.

Ellos nos llevarán fácilmente a un destino, pero otros harán que nos estanquemos y no logremos aquello para lo cual fuimos enviados. Constantemente el lograr alcanzar un destino será importante para nuestras vidas, siempre y cuando el mismo esté alineado a la voluntad de Dios.

Por esa razón entendí por qué David no tuvo miedo a enfrentar en su caminar al gigante Goliat. Mientras para muchos en aquel momento Goliat representaba el asesino en serie, el terrorista o el Bin Laden de aquella época, para David representó la llave que lo llevaría al palacio.

Hay batallas que te tocará enfrentar que no representan atrasos, sino que son el escenario perfecto de promoción a lo próximo que el Padre tiene destinado para ti como hijo.

Las caídas no alteran el destino divino

Eso fue lo que literalmente le ocurrió a esta familia completa. Todo iba transcurriendo de manera normal cuando de repente el niño, en plena celebración, cae al suelo y comienza a llorar. Para todos los que allí estaban, aquella caída fue algo completamente natural y normal, ya que el niño se encontraba aprendiendo a caminar y sabemos que cuando están en esta etapa esto suele suceder bastante.

Sin embargo, para los más cercanos y en especial para su tía, no había sido nada normal aquella caída. Preocupada, su madre tomó al niño en brazos y decidió entrar con el niño a la casa. Su tía insistió en que lo llevaran al médico para un chequeo y le realizaran los estudios médicos pertinentes. Mientras pasaban las horas, el niño continuaba quejándose por aquella aparatosa caída que tuvo.

Al escuchar esta historia, fue inevitable no pensar que, en muchas ocasiones, al igual que a este niño, nos sucede a nosotros de igual manera. Vamos por la vida disfrutando de fiestas, actividades, celebraciones o eventos que nos alegran y nos hacen sentir bien por lapsos de tiempo. Estas nos provocan reír, brincar, celebrar y hasta en momentos llorar, aunque sea de pura alegría.

En cada lección podemos aprender de los diferentes acontecimientos en la vida o preguntarnos, ¿qué de las caídas parecidas a las de este niño que solo producen lágrimas en nuestras vidas y no de felicidad, sino de tristezas, de dolor, de pena y hasta en muchos momentos pueden ocasionar pérdidas, entre otras cosas?

Conozco a muchas personas que tuvieron caídas aparatosas en sus vidas, y al sol de hoy aún están derribadas, y han perdido toda su esperanza. No tienen la fuerza ni la valentía para levantarse del lugar donde están como si ese fuera su destino final.

Hay personas que hablan conmigo y me dicen: "Lo que pasa es que usted no sabe lo que esta caída provocó en mí". Yo siempre los escucho, pero los invito en todo momento y siempre a entender que *ninguna caída es ni puede ser más grande que el amor de Dios para con nosotros.*

Lo interesante de estos casos es que, en ocasiones, llegan a nuestra vida personas como la tía de aquel niño, que constantemente nos están alertando e invitando a ir a lugares donde nos pueden ayudar en medio de la crisis, y a tomar las medidas necesarias que algún profesional utilizaría para trabajar cada situación. Y sin percatarnos, posponemos nuestra restauración.

La Biblia registra una de muchas caídas que en este preciso momento quiero traerte a la memoria. Esta no es cualquier historia de una caída, sino una que fue provocada por un mal paso y una mala decisión, cuando resultó lastimado un niño de manera involuntaria. Su nombre era Mefiboset: esta historia se registra en el libro de Segunda de Samuel.

Por otra parte, Jonatán hijo de Saúl tenía un hijo de cinco años, llamado Mefiboset, que estaba tullido. Resulta que cuando de Jezrel llegó la

*noticia de la muerte de Saúl y Jonatán, su nodriza
lo cargó para huir, pero, con el apuro, se le cayó
y por eso quedó cojo.* (2 Samuel 4:4)

La caída de Mefiboset se parece a esas caídas que de manera involuntaria llegan a nuestras vidas como consecuencias de aquellos que nos rodean. Esta historia nos invita a reflexionar y tomar precauciones sobre tener cuidado en quién confiamos nuestra vida, ya que a veces las buenas intenciones no son suficientes. El hecho de que sean buenas intenciones para ellos, no necesariamente son buenas para el plan de Dios en nuestras vidas.

Mefiboset, estando en el palacio, hubiera disfrutado de todos los cuidados necesarios para que su vida no se viera afectada como se vio al tomar la decisión de sacarlo, buscando una protección que no tendría fuera. Por eso he aprendido a tener cuidado con las relaciones y de quienes me rodeo.

En una experiencia que tuve con Dios aprendí a no aceptar lo bueno como necesario. Él me decía: "Ángelo, no todo lo bueno en el reino emparenta contigo". En el camino a la cúspide de una montaña alta, llevaré cosas buenas dentro de la mochila, pero no todo lo bueno me es necesario para alcanzar la cima.

Debes cuidar tus sentimientos a la hora de acomodarte a algún lugar o conectarte con una persona, ya que muchas veces el sentimiento de culpa después de una caída no desaparece de la noche a la mañana.

El trabajar con estos sentimientos sin la ayuda necesaria puede ser muy difícil, pues sentirnos indignos de una renovación espiritual siempre estará presente. Pero nunca debemos olvidar que nuestro Dios es más grande que nuestras circunstancias y que Él siempre está presto para levantarnos.

Muchos de ustedes y hasta yo mismo, en algún momento estuvimos en la vida viéndonos como menos después de las caídas que tuvimos, pero si eres una de esas personas, hoy comparto un principio que no debes pasar por alto: *Nunca, ninguna caída, nada de lo que estés pasando, será más grande de lo que Dios puede y quiere hacer contigo.*

> *Al corazón contrito y humillado no despreciarás tú, oh, Dios. (Salmo 51:17)*

Tu caída no es más grande que lo que cargas por dentro. Algo que el ser humano nunca ha entendido es que tenías que saber que en el mundo ibas a pasar aflicciones, pero Jesús dijo: Confíen porque ya yo vencí. (ver Juan 16:33)

Entiende algo muy claro: Tus caídas no son más grandes que la Palabra que hay en y dentro de ti. ¿Sabes por qué? Porque la Palabra que tienes por dentro no te la dio un hombre, ni la persona que provocó que tú cayeras.

Tampoco un hombre la implantó allí como si fuera una operación de esas que te ponen implantes, sino que esa Palabra fue dada y entregada en la eternidad por el Dios que te pensó, te creó, te llamó y te escogió para provocar y hacer en la vida cosas extraordinarias.

Y aunque fue Dios mismo quien se encargó de eso, debemos saber que para lograr que aquello que se habló de nosotros sea un hecho en la vida, siempre vamos a necesitar de una **fe inquebrantable**.

Si eres una de esas personas que ha llegado al límite de dudar que Dios puede volver a hacerlo contigo, quiero poder ser instrumento de ayuda para ti en este momento. Si deseas volver a tener aquella **fe inquebrantable** que tenías antes de pasar por todo lo que viviste, te invito a que juntos hagamos esta oración:

> *Señor, te pido perdón por dudar que podías volver a levantarme del lugar donde había caído. Te pido que en este momento de mi vida me ayudes a seguir caminando al propósito que escribiste acerca de mí en tus libros eternos y sagrados. Ayúdame a recuperar lo que por herencia ya me pertenecía desde antes de la fundación del mundo, y haz de mi fe una que sea INQUEBRANTABLE. En el nombre de Jesús, amén.*

Atrévete a creer

por lo que aún no has visto,

y te aseguro

que, si así lo haces,

recibirás cosas

que jamás has tenido.

Debes entender que nada

sobrepasa la Palabra

que salió de la boca de Dios.

5 LA VISIÓN DE MAMÁ SE DESVANECE, LA FE DEL PASTOR PREVALECE

El cielo y la tierra pasarán, pero mis palabras jamás pasarán. (Mateo 24:35)

¿Alguna vez estuviste a punto de alcanzar algo y de momento, de manera repentina, ese algo desapareció? ¿Alguna vez observaste a un niño corriendo con un globo de cumpleaños en su mano, y este se le cayó al suelo? Él va detrás del globo y cuando ya está a punto de recuperarlo, se le explota en sus manos, provocando que lágrimas comiencen a correr por su rostro inocente.

Lo que vivió esta familia fue exactamente lo mismo que este claro ejemplo que les acabo de brindar. Los padres del niño, después de escuchar a la tía decirles varias veces que lo llevaran al médico, accedieron a su petición. El lunes de aquella misma semana, a tempranas horas del día, procedieron a llevar al niño a un chequeo de emergencia en el hospital.

Después de varios exámenes médicos llega la noticia inesperada de los doctores para aquellos padres y toda su familia. El doctor los reúne y se sienta con ellos para dejarles saber que aquel niño había nacido con lo que se conoce como una dislocación de cadera.

Para que entiendan mejor qué es eso, el niño había nacido y se había formado con un pie más corto que el otro. El doctor les explica que, en el proceso de gestación, su hueso del fémur no se le formó completamente. Para los que conocen de ciencia saben que ese hueso es el más grande y largo del cuerpo humano, y que va de la cadera a la rodilla de manera enlazada.

La madre del niño, al enterarse de una noticia como esa, se descontroló y no se podría negar que hasta la fe en ese momento le faltó. Tanto el doctor como el padre lograron tranquilizar a la madre después de un largo rato, y es aquí cuando el doctor les da las indicaciones que tendrían que seguir.

El niño tenía que ser sometido de emergencia a unas operaciones para lograr que en un futuro no se viera más afectado de lo que ya estaba. Durante el proceso de las operaciones, ocho en total, su madre estaba tan desesperada que la visión que un día había recibido sobre su hijo iba desapareciendo poco a poco. Pero para sorpresa de todos aquellos cuya fe había comenzado a menguar, allí había alguien que desde el día cero cargaba una visión y una Palabra que no iba a dejar perder.

En aquel duro escenario hizo aparición el Pastor y padre de Noemí, quien había llegado al hospital para ser ese médico a nivel espiritual, enviado directamente desde el cielo a interceder por su familia.

Inyección espiritual para sostener la visión

Aquel viejo Pastor había recibido una Palabra acerca de aquel niño, que difícilmente iba a dejar que desapareciera por ese acontecimiento. Escuchar aquella historia me hizo pensar en una que leí hace un tiempo atrás. La Biblia nos muestra un relato muy particular que puede proyectar un panorama similar al que se encontraba aquel viejo Pastor junto a su familia. Esta la podemos encontrar en el libro de Habacuc.

> Y el Señor me respondió: Escribe la visión, y haz que resalte claramente en las tablillas, para que pueda leerse de corrido. Pues la visión se realizará en el tiempo señalado;

marcha hacia su cumplimiento, y no dejará de cumplirse. Aunque parezca tardar, espérala; porque sin falta vendrá. (Habacuc 2:2)

Este pasaje es fabuloso porque es una respuesta a una queja del profeta ante su Dios por los acontecimientos que estaban sucediendo al pueblo de Israel. Nos muestra que el pueblo continuaba desenfocado y sus visiones de Dios habían desaparecido, pero un día el Señor oyó el clamor de los hijos de Israel y vio su aflicción. Por eso levantó a un profeta para devolver las visiones de aquel pueblo.

Cuando recordé esa historia me convencí de que cuando aquel padre llegó allí al hospital, fue con la intención de decirle a su hija que en medio de ese proceso ella tenía que volver a escribir en tablas la visión de Dios para su vida y su familia, ya que es difícil ver algo que está escrito y pasarle por el lado sin volver a leerlo.

Fue parecido a lo mismo que Dios hizo con el pueblo de Israel a través del profeta. Le dijo, necesito que escribas esto en un lugar donde la gente al pasar pueda recordar que existe una visión clara de lo que haré con ellos y por ellos, y si hay una visión, es porque antes hubo una Palabra.

Debes entender que nada sobrepasa la Palabra que salió de la boca de Dios. ¿Para qué el pueblo tenía que haber escrito aquella visión? Porque al leerla, recordarían que aquella visión se iba a cumplir en el tiempo que había sido señalado para ellos.

La visión se cumplirá

Aquel Pastor llegó a aquella sala de operaciones con una tabla que llevaba una visión escrita y esta decía: "Este niño continuará el legado pastoral de esta familia y yo lo creo".

Con aquella actitud y aquella determinación, el padre solo le estaba dejando saber a su hija que tenía que seguir caminando hacia la visión, porque esta no dejaría de cumplirse en el tiempo propuesto, aunque pareciera que en aquel momento se estaba tardando y hasta desapareciendo.

Ellos tenían que actuar como toda familia que ejerce su fe, que espera en ella, porque como Dios le dijo al profeta, *"sin falta vendrá"*.

Todas estas y muchas otras más palabras fueron las que aquel abuelo le decía a su hija acerca de su nieto, que estaba ya en el proceso de sus primeras operaciones. A la puerta de la sala de operaciones estaba reunida toda la familia esperando noticias favorables acerca del niño. Pasaban las horas y la desesperación seguía en aumento, aunque esta vez un poco más calmados y con mucha más esperanza de que pronto saldría el doctor por aquellas puertas con una noticia alentadora que todos esperaban y deseaban.

Llenos de fuerza por cada palabra de aliento del Pastor, todos aguardaban la noticia que estaba a punto de llegar. Fue entonces cuando salió el doctor por aquellas puertas y le comunicó a la familia que la primera operación había sido todo un éxito. Ahora solo faltaba esperar a que el niño despertara de la anestesia para que sus familiares más cercanos pudieran entrar a verle.

En aquella salita, el abuelo del niño comenzó a dar gracias y a citar las palabras del proverbista cuando dijo:

> *Pero el que me obedezca vivirá tranquilo, sosegado y sin temor del mal.*
> (Proverbios 1:33)

El doctor se vuelve a reunir con toda la familia y les explica de manera breve todo lo que se había comenzado a trabajar con aquella criatura por medio de aquellas operaciones. Iban a tener que ser varias como ya había mencionado antes.

Debido a que sería un proceso delicado, ellos tenían que hospedarse literalmente en el hospital por el lapso de dos años. Durante todo ese tiempo se estarían realizando las demás operaciones del niño.

Además, al niño había que ponerle un injerto que sustituiría el hueso que no acabó de formarse, pero no sería un injerto externo, sino que tomarían parte de uno de los huesos del cuerpo del niño para injertarlo en el área afectada y ver si el cuerpo no lo rechazaba.

Para los padres esto fue muy preocupante, pues si no salían bien aquellas operaciones, al niño debían amputarle parte de su piernita para que en un futuro otras partes del cuerpo como, por ejemplo, la espalda y todos sus componentes, no se vieran afectados.

En medio del proceso la madre del niño, Noemí, comienza a desfallecer hasta que vuelve a mirar a su padre, el Pastor, y él sabiamente comienza a decirle las palabras del profeta Isaías.

> *No prevalecerá ninguna arma que se forje contra ti.* (Isaías 54:17)

Aquellas palabras volvieron a animar y levantar la fe de Noemí, pues ella reconocía con gran esperanza que cada vez que su papá soltaba una Palabra, las distracciones, dudas y temores desaparecían. No era porque vinieran de un hombre, porque ella sabía que un hombre no podía darle la paz que Dios le daría, pero sí sabía que la fe genuina de aquel papá le hacía tener templanza, calma y descansar en paz.

Me gusta mucho ese pasaje, ya que nos reta a seguir confiando en Dios, aunque las cosas no parezcan ir bien. Dios siempre fue, es y será tan intencional que durante el relato del capítulo 54 de Isaías, este le deja claro al profeta que Él mismo había creado al herrero, que es quien se encarga de crear las armas para la guerra; que también había creado al que destruiría y que traería estragos.

Pero lo más interesante es reconocer que Dios es quien nos hace saber que ninguna de esas personas, elementos, armas, críticas, calumnias y cosas negativas que han sido creadas, podrán prevalecer sobre nosotros. Lean bien; dije sobre todos nosotros porque simplemente:

¡Somos sus hijos amados!

Cuando estás determinado

a poner tu confianza

en las manos de Dios,

tendrás que prepararte

para ver acontecer ante tus ojos

un milagro sobrenatural.

6 TODO PASARÁ Y ESTARÁS BIEN

La mujer se puso en marcha y llegó al monte Carmelo, donde estaba Eliseo, el hombre de Dios. Este la vio a lo lejos y le dijo a su criado Guiezi: ¡Mira! Ahí viene la sunamita. Corre a recibirla y pregúntale cómo está ella, y cómo están su esposo y el niño. El criado fue, y ella respondió que todos estaban bien.
(2 Reyes 4:25-26)

En el libro de los Reyes se presentan varias historias que desafían nuestra vida y nuestra fe a creer por cosas mayores y sobrenaturales. Cuando lo natural de este mundo no obedece al propósito de Dios siempre habrá un choque en alguna parte de la vida.

En la Biblia hay historias tan fabulosas que al leerlas son tan reales como si formáramos parte de uno de esos personajes. Una de las que considero más extravagantes es la que está en el pasaje que comparto iniciando este capítulo. Esta habla de Eliseo, aquel muchacho que fue el sucesor del profeta Elías. Trata de grandes acontecimientos que este hizo, de varios de sus logros y de sus inicios en el ministerio profético, que marcaron un precedente en aquel entonces por medio de él.

La historia relata que de vez en cuando Eliseo, en una de sus rutas, pasaba por la ciudad de Sunem, y en una de sus travesías se topó con una mujer que era de una muy buena posición económica y social en su región.

A su paso, ella siempre le insistía al profeta que entrara a su casa a cenar con ella y su familia. Así que cada vez que el profeta pasaba por esta región, siempre se detenía a cenar con esta familia.

Es increíble porque, aunque parezca algo sencillo, tiene un nivel de profundidad y revelación impresionantes. Es que ella poseía una buena posición social y económica, y hasta tal vez tenía uno de los mejores liderazgos de esa época, pero nunca puso su posición o liderato por encima del manto que cargaba aquel profeta llamado Eliseo.

¡Qué bueno saber que en esos tiempos y aún en estos hay personas que ponen a los siervos de Dios por encima de su estatus económico y social, sabiendo que, si han alcanzado tal nivel en la sociedad, es porque Dios así lo permitió!

Hoy en nuestras iglesias hay una falta de honra hacia la gente de Dios. Hay quienes trabajan más por el prestigio, por las posiciones, por ser vistos por los hombres, por las agendas llenas, por los muchos viajes. Pero en pocas ocasiones se trabaja por agradar a aquel que nos llamó y nos escogió desde antes de la fundación del mundo.

Cuando logramos entender los llamados que Dios hace a los demás, no le pasamos a nadie por encima, sino al contrario, los ubicamos a la misma altura que nosotros nos encontramos como líderes. Sabemos que si alguien tiene un llamado fue porque Dios mismo lo eligió a él o a ella, y no a nosotros.

> No me escogieron ustedes a mí, sino que yo los escogí a ustedes y los comisioné para que vayan y den fruto, un fruto que perdure. Así el Padre les dará todo lo que le pidan en mi nombre. Este es mi mandamiento: que se amen los unos a los otros. (Juan 15:16-17)

Así que aquella mujer reconoció desde el día uno que Eliseo no era cualquier persona, que él no fue el sucesor de Elías simplemente porque le cayó bien, no. Ella fue más allá y entendió que aquel que sirve por la causa de Dios y ayuda a sus enviados, recibe mayor recompensa de lo alto. Ella descifró que el nivel en donde operaba Eliseo no solo era el profético, sino, sobre todo, el de servicio.

Y nosotros debemos saber que lo que hace grande a una persona, por más oposición que ella reciba, es el servicio.

Es su corazón de hijo, pero también de siervo. Una buena pregunta a realizarnos tipo análisis sería: ¿Qué tipo de corazón nosotros poseemos? ¿Para qué y por qué hacemos lo que hacemos?

> *Jesús los llamó y les dijo: Como ustedes saben, los gobernantes de las naciones oprimen a los súbditos, y los altos oficiales abusan de su autoridad. Pero entre ustedes no debe ser así. Al contrario, el que quiera hacerse grande entre ustedes deberá ser su servidor, y el que quiera ser el primero deberá ser esclavo de los demás; así como el Hijo del hombre no vino para que le sirvan, sino para servir y para dar su vida en rescate por muchos.* (Mateo 20:25-28)

Esta mujer tenía un gran parecido en su actitud a Noemí, quien sabía perfectamente que, si su Pastor y padre estaba en el escenario, ella sentía paz aun en medio de la fuerte tormenta que estaban atravesando. Esta familia se había rendido y solo habían invitado a Dios a cenar en medio de sus circunstancias, sabiendo que ese mismo Dios ya le había hablado a su padre de todo aquello que estaba sucediendo y que, mejor aún, todo estaría y acabaría bien.

Hoy me gustaría declarar sobre tu vida el mismo título de este capítulo: *todo pasará y estarás bien, sin importar lo que estés atravesando.* En ocasiones las cosas que nos suceden alteran nuestras vidas y provocan malos ratos. Pero es importante saber que en todos los procesos que atravesamos, podemos adoptar las palabras del apóstol Pablo y pronunciar con nuestros labios, que:

Somos **más que vencedores** por medio de aquel que nos amó. (Romanos 8:37, énfasis añadido)

La mujer sunamita fue más allá de lo que había visto y así también nosotros estamos llamados a ir más allá de las cosas que se ven de manera natural, como nos revela el apóstol Pablo en los Corintios. Como está escrito, las cosas que se ven son pasajeras, mas las que no se ven, son eternas.

No mirando nosotros las cosas que se ven, sino las que no se ven; pues las cosas que se ven son temporales, pero las que no se ven son eternas. (2 Corintios 4:18, RVR 60)

Hacedores de edificios

Aquella mujer no solo se conformó con que el profeta únicamente la visitara, sino que también le dijo a su esposo, "hay que hacerle un espacio a él". Hoy en muchas ocasiones, tristemente tenemos una relación con Dios solo de visitas. Queremos que Él venga cuando las cosas no nos salen del todo bien, cuando estamos pasando alguna fuerte situación y no tenemos el carácter de decirle:

Espíritu Santo, no quiero más visitas; quiero que te hospedes, que hagas morada en mi

vida, en mi familia, sobre mis negocios, y en todos mis intereses.

Debemos atraparlo de tal manera que Él sienta que no queremos hacer ni ser nada, a menos que Él esté presente en nuestras vidas. Debemos ser casi los moisés que le digan, "si tú no vas conmigo o no estás, de aquí no me mueve nadie" (paráfrasis).

> *Moisés le dijo al Señor:*
> *—Tú insistes en que yo debo guiar a este pueblo, pero no me has dicho a quién enviarás conmigo. También me has dicho que soy tu amigo[a] y que cuento con tu favor. Pues si realmente es así, dime qué quieres que haga. Así sabré que en verdad cuento con tu favor. Ten presente que los israelitas son tu pueblo.*
> *—Yo mismo iré contigo y te daré descanso —respondió el Señor.*
> *—O vas con todos nosotros —replicó Moisés—, o mejor no nos hagas salir de aquí. Si no vienes con nosotros, ¿cómo vamos a saber, tu pueblo y yo, que contamos con tu favor? ¿En qué seríamos diferentes de los demás pueblos de la tierra?*
> *(Éxodo 33, 12-16)*

Este es un llamado a convertirnos en hacedores de edificios donde no venga a vivir ningún inquilino extraño, sino que venga a vivir la misma presencia de Dios, que venga a vivir nuestro mejor amigo, el Espíritu Santo. Hoy te estamos desafiando a que te atrevas y le digas al Señor:

No quiero construir cosas para que la gente me admire o hable bonito de mí, sino que quiero construir relaciones que me lleven a ser conocido, no en la tierra, sino en el cielo y por tu presencia, sobre todas las cosas.

En medio de la difícil situación de las operaciones del niño durante aquellos dos largos años, esta familia literalmente se había tenido que convertir en hacedores de edificios, y dejar a un lado las dudas, los temores, la ansiedad, para poder dar espacio a la presencia de Dios y que ella operara de acuerdo con la voluntad del Padre para con todos ellos; para que su presencia fuera la que les brindara paz y tranquilidad en medio de la crisis.

Cuando te conviertes en un hacedor de edificios, de repente corres el riesgo de que Dios te bendiga con cosas que Él sabe que tú necesitas, pero no necesariamente le pides. La realidad es que hoy en día hay personas que, no es que no pidan o no les haga falta algo, sino que para ellos es más importante que Él esté presente primero en sus vidas, ya que a fin de cuentas Él es el dueño de todo.

Fue lo que le sucedió a esta mujer sunamita. Ella solo buscó hacerle espacio al profeta, pero el profeta quiso ayudarla a llenar el espacio creado, dándole una palabra profética; que Dios la bendeciría con un hijo. Él le declaró que tendría un niño en el lapso de un año. La historia relata el cumplimiento de aquella palabra profética y pasado el tiempo establecido por el profeta, la mujer tiene un niño, pero un tiempo después a aquel niño le da un dolor que le provoca la muerte.

Lugares correctos

La familia del niño en el hospital seguía a la espera de los siguientes resultados en las operaciones. Hasta el momento todo había salido bien en cada una de las intervenciones anteriores. Al escuchar la historia de esta familia pude entender que a pesar de la angustia y la ansiedad que ellos podían tener, aquella familia tenía lo que llamo una **fe inquebrantable**. Comprendí que ellos se habían rendido de insistir en hacer las cosas en sus propias fuerzas.

> *Así que el ángel me dijo: «Esta es la palabra del Señor para Zorobabel:» "No será por la fuerza ni por ningún poder, sino por mi Espíritu".* (Zacarías 4:6)

Así que decidieron poner al niño en lo que llamo un **lugar correcto.** Fue similar al gesto que tuvo que realizar la mujer sunamita. Ella, cuando el niño murió, no fue a una funeraria o algún cementerio, sino que lo puso en un lugar correcto; la cama que ella misma le había preparado al profeta.

Hoy en día nos sucede a muchos de nosotros que, en vez de ir a lugares correctos, elegimos otros que nos llevan a

TODO PASARÁ Y ESTARÁS BIEN

perder cosas que amamos mucho. Elegimos ir a buscar consejos en lugares incorrectos, provocando así que las situaciones se empeoren mucho más.

Estoy convencido de que Dios está haciéndole un llamado a esta generación a que vayamos al lugar de su presencia, donde podremos ver el milagro que tanto hemos esperado.

La sunamita no dudó porque sabía a quién estaba dedicado un espacio en su casa. Allí en esa cama no dormía cualquier persona, sino que era la cama donde dormía el profeta de Dios, y algo siempre ocurrirá cuando ponemos todo nuestro empeño en las manos de las personas correctas.

La historia relata que ella dejó allí acostado a su hijo ya muerto, y fue a donde estaba el profeta. Cuando el profeta la vio a lo lejos le dijo a su criado: "Allí viene la mujer, vete y pregúntale cómo está, cómo está el esposo y cómo está el niño". Su criado fue siguiendo las instrucciones y cuando llegó a donde estaba la mujer, le hizo las preguntas que le había enviado a decir el profeta: "¿Cómo está usted?", "¿Cómo está su esposo?", y "¿Cómo está el niño?".

> VAYAMOS AL LUGAR DE SU PRESENCIA, DONDE PODREMOS VER EL MILAGRO QUE TANTO HEMOS ESPERADO.

Lo más sorprendente no fueron las preguntas que le habían hecho, sino la respuesta de esta mujer ante la situación fuerte, de pérdida y luto que estaba pasando.

71

Ella le contestó sin titubear: "Todo está bien". La sunamita estaba lanzando una respuesta sin precedentes ante un panorama de muerte. Ella decidió ignorar la muerte y esperar una respuesta contundente de parte del profeta. Estaba pasando una pérdida y se atrevió a declarar que todo estaba bien.

Fe contra todo pronóstico

Fue entonces que de manera trascendental comprendí que, si sabes en qué manos pusiste las situaciones y delante de quién estás hablando, no hay dudas, temores, ni pérdidas que puedan opacar el potencial de tu fe en Dios, ni impulsarte a confesiones negativas que no traerán ningún resultado positivo.

Por eso en este día debes pararte firme y aceptar la realidad de que nada bueno ocurre cuando pones las cosas en lugares incorrectos.

Cuando estás determinado a poner tu confianza en las manos de Dios, tendrás que prepararte para ver acontecer ante tus ojos un milagro sobrenatural.

Aquel abuelo Pastor, aquella madre y su familia se encargaron de poner la situación de su niño en las manos correctas y en el lugar correcto. El proceso fue lento, desesperante, pero por encima de todo acontecimiento había una familia unida bajo un mismo propósito, que simplemente le creyó al Dios de los milagros. La recuperación del niño iba a ser lenta, pero progresiva.

Fueron meses de terapias físicas y psicológicas, tanto para el niño como para su familia. Una de las cosas que me marcó e impactó de la historia de esta familia fue cuando me contaron que este niño tuvo que aprender a caminar dos veces en su crecimiento, ya que al estar durante dos años en el hospital olvidó cómo caminar como si nunca lo hubiera hecho antes. Pero sin importar nada de eso, al final de aquel proceso duro, esa familia vio completamente la gloria del Señor.

> Cuando Jesús oyó esto, dijo: «Esta enfermedad no terminará en muerte, sino que es para la gloria de Dios, para que por ella el Hijo de Dios sea glorificado». (Juan 11:4)

Este es el tiempo cuando vas a creer por cosas grandes y mayores. Si así lo decidieras y te determinaras sobre todo a creerlas, entonces vas a poder ver los cielos abiertos en tu vida, en tu familia y sobre toda tu generación. Atrévete a creer por lo que aún no has visto, y te aseguro que, si así lo haces, recibirás cosas que jamás has tenido.

Sin embargo, como está escrito: «Ningún ojo ha visto, ningún oído ha escuchado, ninguna mente humana ha concebido lo que Dios ha preparado para quienes lo aman». (1 Corintios 2:9)

¿No te dije que si crees verás la gloria de Dios? le contestó Jesús. (Juan 11:40)

Se hace necesario que

desaprendamos algunas cosas

para que lo nuevo de Dios

se manifieste en nuestras vidas,

en nuestro nuevo caminar.

7 PRIMEROS PASOS HACIA LA GRAN CONQUISTA

Instruye al niño en el camino correcto, y aun en su vejez no lo abandonará. (Proverbios 22:6)

Creo que no existe una emoción más profunda en la vida de un padre, que ver crecer a sus hijos y verlos dar sus primeros pasos en la vida. Esto también puede provocar cierto grado de ansiedad, ya que los padres nunca quieren que a los niños les suceda nada durante este proceso de aprendizaje y crecimiento.

En algunos padres esta es una especie de crisis existencial, ya que no quisieran ver golpearse a sus niños. Por otro lado, es un proceso que demandará de ellos mucho más cuidado, pues los niños durante ese transcurso querrán ir y deslizarse por todos lados y en todas partes. Siempre esos inicios de sus primeros pasos son los que he llamado los grandes pasos a una gran conquista.

Al leer estas líneas te preguntarás: ¿Qué tiene que conquistar un niño? La respuesta dentro del poco conocimiento de un niño es conquistar nada más y nada menos que su independencia. Lo interesante de todo esto es que psicológicamente, sin los padres darse cuenta, los niños llevan preparándose para todo esto desde el día en que nacieron y, diría más, desde el día de su gestación.

En todo ese tiempo este se va desarrollando y trabajando en una especie de coordinación. Con los movimientos que hace se van fortaleciendo todos los músculos de su pequeño cuerpo.

Queridos amigos, este es el mismo proceso que pasamos todos nosotros al formar parte del cuerpo de Cristo aquí en la tierra. En nuestro caminar, aunque no tengamos mucho conocimiento, seguimos esperanzados con la certeza de que el depósito de Dios está en nuestras vidas e irá en continuo crecimiento por la experiencia adquirida.

En dicho proceso, al igual que todo niño, aprendemos conforme a cada movimiento y actividad muscular que nos fortalece todo el cuerpo y en todo proceso. Una vez que pasamos todo ese proceso natural, logramos empezar a pararnos y quedarnos un poco de pie en el proceso de la vida. Fue la misma experiencia que tuvo aquella familia cuando comenzaron a vivir con su hijo después de que lo dieran de alta, dos años después de aquella primera operación.

De los cantazos se aprende y se reaprende

Sé que a todos en algún momento nos dijeron o escuchamos esta famosa frase: "De los cantazos es que se aprende". En la vida muchas veces queremos lograr cosas por nosotros mismos solo para que se nos reconozca, entre otras cosas. Pero en muy pocas ocasiones queremos o pedimos la ayuda de alguien con más experiencia.

Fue lo mismo que sucedió en el caso de esta familia. Ellos tuvieron que aprender de todos y pedir ayuda de cada uno de los miembros de la familia, ya que la salida del niño del hospital fue dura. Él salió del hospital con un yeso de la cintura para abajo, y se tenía que arrastrar por el suelo literalmente para llegar al destino que quería llegar.

Luego de casi un año fue que los médicos decidieron quitarle el yeso para que él tuviera su proceso de dar los primeros pasos. Así que, como todo niño normal, durante este proceso se tuvo que volver a desarrollar porque no sabía caminar debido al tiempo que estuvo encamado y a las operaciones que sufrió.

Se pueden imaginar que en todo el transcurso de aquel reaprendizaje el niño no tenía fuerzas suficientes para sostenerse por sí mismo. Sus familiares lo sostenían con sus manos debajo de sus brazos y lo ayudaban en el proceso para mover sus piernitas, de manera que tuviera un acto reflejo, buscando que en unos cuantos meses se recuperara del todo y pudiera comenzar a dar sus primeros pasitos con firmeza y por sí mismo.

Igual ocurre con nuestras actitudes. Si algo se hace difícil, pero es muy importante en nuestras vidas, es ese proceso del desaprender muchas actitudes que con el tiempo hemos adoptado, las cuales no le agradan a Dios. Se hace necesario que desaprendamos algunas cosas para que lo nuevo de Dios se manifieste en nuestras vidas, en nuestro nuevo caminar.

Tal vez te sientes como un niño cuando no sabe caminar, estás con pocas fuerzas, sin ganas de continuar, y con deseos de renunciar a todo. Hoy solo puedo decirte que Dios está dispuesto, como nuestro amado Padre, a sostenerte con sus manos por debajo de tus brazos y ayudarte a afirmar tus pies, para que puedas comenzar a dar tus primeros pasos.

Dios, como todo un Padre, sabe que tus reflejos están muy débiles y por eso está dispuesto a convertirse en tu sostén en medio de las circunstancias. El salmista hizo una expresión cuando Dios como Padre vino a su encuentro y lo libró de la persecución del Rey Saúl, quien se había levantado en su contra.

> *En el día de mi desgracia me salieron al encuentro,*
> *pero mi apoyo fue mi Señor.* (Salmo 18:18)

¿Sabes qué se siente sentir el apoyo de un padre en uno de los peores días y momentos de tu vida? El salmista sintió ese apoyo de Dios como un padre cuando él más lo necesitaba. *Hoy puede ser ese día donde en medio de tu situación difícil puedas ver a Dios como ese Padre celestial quien sostiene tus manos y te sujeta,* para que no caigas dos veces sobre la misma piedra. Debemos confiar para levantarnos con la firme decisión de obtener un crecimiento saludable.

Crecimiento acelerado hacia el propósito

Durante aquellos próximos años, la familia recibió ayuda, no solo del cielo, sino de todas las personas que Dios puso a su lado y en su camino. Esta familia experimentó lo que he decidido llamar un crecimiento acelerado. Fueron muy bendecidos en todas las cosas que hacían porque se determinaron a creer en una palabra que Dios había puesto sobre la vida de aquel niño.

El niño crecía y ya después de las operaciones no surgió ninguna complicación. Sin embargo, la hiperactividad de aquel niño era lo que sus padres más velaban, pues este daba indicios de que quería correr antes de caminar.

Lo que la ciencia había dicho que el niño no podría hacer, era exactamente todo lo que él hacía de una manera sobrenatural y milagrosa. Como todo niño que tiene sus procesos, desde brincar, caerse, correr, tirar, halar, entre otras muchas cosas que se suponía que no pudiera hacer, esas eran las principales cosas que él realizaba y practicaba.

Junto a aquel niño también había dos hermosas hermanas menores. El papá seguía ejerciendo la misma profesión.

Después de haber escuchado este relato en labios de sus padres, entendí un principio que un día aprendí y me gustaría compartirlo con ustedes en este capítulo.

> *En la vida de cualquier ser humano, siempre habrá momentos para caminar, aunque no haya lugar a dónde ir.*

Esto lo descubrí en un momento de la vida donde no quería hacer nada por mí mismo. Cuando Dios llegó a mi vida, me hizo saber que, aunque las cosas no salgan como yo las pensé, siempre detrás de todo, sea bueno o malo, existe un gran propósito. Si nos atrevemos a creerle a Dios, lo veremos cumplirse.

¡Es hora de creer en tu propósito!

Lo que Dios bendice

es aquello que anda en orden

y se mueve

en obediencia.

8 LA CASA EN ARENA MOVEDIZA

Por tanto, todo el que me oye estas palabras y las pone en práctica es como un hombre prudente que construyó su casa sobre la roca. Cayeron las lluvias, crecieron los ríos, y soplaron los vientos y azotaron aquella casa; con todo, la casa no se derrumbó porque estaba cimentada sobre la roca. Pero todo el que me oye estas palabras y no las pone en práctica es como un hombre insensato que construyó su casa sobre la arena. Cayeron las lluvias, crecieron los ríos, soplaron los vientos y azotaron aquella casa. Esta se derrumbó, y grande fue su ruina.
(Mateo 7:24-27)

La Biblia está llena de maravillosas historias en las que grandiosos hombres y mujeres fueron partícipes. Estos hombres y mujeres muchas veces tuvieron grandes éxitos, aunque no todos corrieron con la misma suerte. Pero sí hay uno que fue influyente, exitoso, y obtuvo lo que vino a buscar y a hacer aquí en la tierra: Jesús.

Sus mensajes eran tan radicales y siempre lo seguían dos tipos de personas. Estaban aquellos que lo buscaban por quien era Él y había otros que solo lo seguían por sus beneficios. Es interesante ver que hoy día aún existen esos tipos de personas que dicen estar en una iglesia o cualquier escenario que tenga mucho que ver con ella, pero la realidad es que no están en Cristo. Por eso el Apóstol Pablo fue enfático a la hora de hablarles a los corintios cuando dijo:

> *Por lo tanto, si alguno está en Cristo, es una nueva creación. ¡Lo viejo ha pasado, ha llegado ya lo nuevo!* (2 Corintios 5:17)

Nota algo interesante y es que Él no dijo que eran nuevos los que estaban en una iglesia y/o institución, sino los que están en Cristo. He visto en este tiempo muchas personas que profesan y anuncian estar en la iglesia, pero debemos tener claro que una cosa es estar en la iglesia, o sea, la estructura, y una muy distinta es estar en Cristo. Entiende que el estar en Cristo te hace alguien libre de todas las ataduras del pasado. Estar en Cristo es decir abandono lo pasado, lo viejo, lo inservible y abrazo la realidad de su revelación en nosotros para ser transformado de esta manera.

Por eso es de suma importancia que entendamos que para que pase lo viejo y llegue lo nuevo y lo prometido, debemos estar en Él. En un momento dado Jesús se dirige a sus seguidores entre quienes estaban este tipo de personas, y comenzó a hablar de otros dos tipos de personas: aquellos que son prudentes y los que son insensatos.

Definamos ambas palabras para que tengamos un panorama más claro de lo que Jesús estaba tratando de enseñarles.

1. Una persona "prudente" es aquella que piensa acerca de los riesgos posibles que conllevan ciertos acontecimientos o actividades, y modifica la conducta para no recibir o producir perjuicios innecesarios. Es aquella persona que anda con cautela o moderación. Esto simplemente se trata de la virtud que lleva a alguien a desenvolverse de modo justo y adecuado, tratando de no cometer errores que le cuesten más de lo invertido.

2. La persona "insensata" es aquella que muestra imprudencia e inmadurez en sus actos. Esta persona carga una gran ausencia de sensatez; es decir, de buen juicio, prudencia o sabiduría. No piensa las cosas a la hora de realizarlas, sino que se lanza sin

pensar en consecuencias y al final obtiene más pérdidas que ganancias.

Al entender esto, podemos comprender más claramente lo que Jesús quería proyectarles a las personas sobre los dos tipos de hombres que realizaron lo mismo, pero solo uno obtuvo ganancias de lo que realizó. Lo que me gusta de esta historia bíblica es que a ambas personas les sucedió lo mismo. Les sobrevinieron torrenciales de lluvia, los ríos crecieron, soplaron los vientos, y el azote para ambos fue de igual fuerza.

Pero ¿cuál fue la diferencia que provocó que una casa no tuviera la misma pérdida que la otra? ¿Qué hizo uno que no practicó el otro? ¿Por qué en la vida nos ocurren cosas a unos y a otros no? Son preguntas que a diario nos vienen a nuestro sistema. Permíteme ponerte clara y sencillamente la razón de esto, sin implementar mucha palabrería ni mucha teología.

La respuesta solo está en aquellos que aprenden a oír y poner en práctica lo que oyen. Este asunto se trata más de obediencia que de inversión.

Hay personas que piensan que, porque tienen mucho e invierten mucho, se podrán mantener en pie, pero a la larga todos sus planes se derrumban porque fueron insensatos y no optaron por obedecer aquello que se les estaba pidiendo. Tú y yo debemos saber que *Dios no se compromete a bendecir aquello que no está comprometido a tener un orden.*

Lo que Dios bendice es aquello que anda en orden y se mueve en obediencia.

La Biblia dice que uno puso en práctica lo que escuchó y el otro no. A decir verdad, para ambos vino lo mismo, pero solo aquel que edificó sobre fundamento sólido pudo mantenerse de pie. Por favor, si hay algo que pudiera llegar a solicitarte como amigo es que nunca seas de aquellas personas que ponen algo sobre arena pensando que es más costo efectivo y que la inversión es menor.

A largo plazo la vida te pasará factura y tendrás que comenzar nuevamente desde cero y sin tener recursos, porque los invertiste en un lugar que carecía de un buen oído para escuchar su Palabra.

Fue lo que le sucedió a esta familia. Ellos pensaron que edificando sobre arena iban a poder mantenerse en pie; y al final fueron más las pérdidas que tuvieron, y no tan solo económicas, sino emocionales y también espirituales.

La vida de la familia de Noemí cambió drásticamente, ya que se había convertido en una familia muy disfuncional. Los comportamientos en los padres comenzaron a cambiar a tal grado que donde antes existía amor, comprensión y buena comunicación, se había convertido en todo lo contrario.

Ya no había amor, cariño ni aprecio, sino que ahora el ambiente se había tornado en uno hostil y de mucho maltrato emocional y psicológico.

Esto de cierta manera comenzó a afectar a los niños y no pasó mucho tiempo cuando los cambios se comenzaron a notar tanto en su familia, como en sus respectivas escuelas. ¿Sabes qué es lo interesante de toda esta historia? Lo más que me gustó cuando la escuché y la visualizaba, fue que a mi parecer nadie te podría hablar de algo como esto si él mismo no lo hubiera vivido.

En otras palabras, no te puedo hablar de otra persona, de otros padres y de otra familia que no sea la mía. Todo lo que hasta aquí has leído es parte de lo que fue y ha sido mi historia de vida; la misma historia que me trajo hasta donde estoy ahora mismo.

Cuando Papito llegaba a casa

Aún recuerdo las veces que nuestro padre llegaba a nuestro hogar tarde en la noche bajo los efectos de la droga y el alcohol. Sus comportamientos cambiaban a niveles que ya no eran caricias, sino malos tratos emocionales, entre otros. Todavía veo la imagen de una noche en la que llegó a nuestro hogar bajo los efectos de sustancias controladas, mi madre le sirvió su comida y él se la daba a nuestra perrita. Cuando esta la lamía y comía, él se la quitaba y las sobras se las comía él.

Fueron tiempos muy duros para mí, al igual que para mi madre y mis dos hermanas. Sufrí demasiado al ver que aquel, que era mi súper héroe, se había convertido en un monstruo que consumía todo lo que se le parara al frente. La familia de una **fe imparable** se había convertido en un terreno de arena movediza, donde todo lo que se paraba en ella se hundía.

En medio de todo aquel caos entre discusiones y peleas, recuerdo a mi mamá tomando una de las decisiones más difíciles de toda su vida: la de separarse del hombre que amaba y que le dio el privilegio de convertirse en madre de tres grandes **imparables.** Nuestra madre nos decía con lágrimas: "Recojan todo lo más rápido que puedan que nos iremos a nuestra nueva casa".

Ellos se separaron y yo, como mis hermanas, no entendíamos muchas cosas. Entre una mezcla de sentimientos, rencor y hasta odio descubría que aquel héroe simplemente rechazaba el amor de su familia y optaba por el amor de la calle y la droga. Fue ahí donde mi madre decidió mudarse al lugar donde actualmente reside. Intentamos comenzar desde cero, aunque en nuestros corazones había un vacío, una ruptura y un dolor que a mi parecer era algo incurable.

Tratar de comenzar de nuevo

Luego de todo ese acontecimiento, entre la mudanza, la escuela nueva, los amigos nuevos, y hasta los escenarios nuevos, ya establecidos en nuestra nueva residencia mi madre nos dijo: "Hoy comienza una historia nueva y quiero que sepan que lucharé para que a ustedes nunca les falte nada". Aquellas palabras sacudieron nuestro ser de tal manera que decíamos sin duda alguna: "Nuestra madre es una guerrera".

Aquella paz que sentimos durante algunos meses no duraría mucho. Dos años después en mi vida comenzaron a ocurrir cambios. Había comenzado la etapa de tomar decisiones, entre muchas otras cosas. Fue cuando, como dicen en Puerto Rico, se me metió entre ceja y ceja llegar a ser como mi papá.

Sabía que el proceso que había vivido hace tres años había sido devastador, pero, aun así, viviendo entre droga, criminalidad y abusos en todas las esferas, yo aguardaba con ansias convertirme en el ser que yo decía que me había abandonado por el vicio de las drogas, y que hasta ese momento odiaba como nada en la vida. ¿Y sabes qué? Al final lo logré.

Transformado en héroe ficticio

Me convertí en la misma imagen de aquel padre que comenzó a usar sustancias controladas llegando a abusar, en todas las esferas, de mi familia, amigos y seres queridos. Comencé en el mundo de las drogas fumando marihuana y tomando bebidas alcohólicas. De ahí pasé a las distintas pastillas que se usan para causar efectos muy secundarios en la vida de una persona.

Fueron días de dolor para mi familia al enterarse de la decisión que yo había tomado. Recuerdo un día que en una discusión golpeé a mi mamá y de ahí en adelante todo comenzó a cambiar en la casa. El ambiente era de miedo cada vez que llegaba a mi hogar.

Sin duda alguna, el niño que cargaba una promesa de parte de Dios había rechazado la misma y decidía trabajar para el mundo de las tinieblas. No quería saber nada que tuviera que ver con Dios y decidí volverme un rebelde hacia todo lo que tenía que ver con la iglesia.

Comencé a construir una casa sobre la arena sin medir las consecuencias que esto traería cuando llegara el mayor torrencial a mi vida. Cuando ese momento llegó, todo se vino abajo, y aquel castillo de amor, de pasión, y de una convicción de Dios en la vida de mi familia, desapareció. Vi con mis propios ojos cómo aquella Palabra que lanzó Jesús se materializó en nuestra vida.

> *Cayeron las lluvias, crecieron los ríos, soplaron los vientos y azotaron aquella casa. Esta se derrumbó, y grande fue su ruina. Si el SEÑOR no edifica la casa en vano se esfuerzan los albañiles.* (Mateo 7:27)

Andamos más pendientes de

lo que se dice de nosotros

en la tierra

que de lo que

se escribió de nosotros

en el cielo, en lo eterno.

9 VOLVER AL DISEÑO ORIGINAL

Si el SEÑOR no cuida la ciudad, en vano hacen guardia los vigilantes. (Salmo 127:1)

Esta es una pregunta que pudiera incomodar a muchas personas: ¿Alguna vez has vivido el infierno en la tierra? Sí, suena fuertísima esa pregunta, pero lo decimos en Puerto Rico cuando no caminas en acuerdo con lo establecido por Dios. Era literalmente lo que yo estaba viviendo hasta ese entonces.

A esas alturas de mi vida trataba de reconstruir lo que ya hacía mucho tiempo que había sido derribado, pero lo que seguía viendo eran derrumbes tras derrumbes, porque solo trataba de hacerlo a mi manera sin entender que ningún diseño puede volver a su estado original si primero no vas a sus planos originales.

Igual que cité anteriormente, la Palabra es muy clara cuando dice:

> *Así que el ángel me dijo: «Esta es la palabra del SEÑOR para Zorobabel: "No será por la fuerza ni por ningún poder, sino por mi Espíritu dice el SEÑOR Todopoderoso".* (Zacarías 4:6)

Y es que a veces queremos hacer las cosas a nuestra manera y no a la manera de Dios, porque decimos que nos duele de esa forma. Cuando hacemos o tomamos esa actitud en nuestra vida, es como si le estuviéramos diciendo a Dios: "Salte de tu Trono que yo me voy a sentar". En otras palabras, salte, que quien gobernará de hoy en adelante somos nosotros.

Por esa razón toda mi vida estaba hecha un desastre, pero yo caminaba como si nada hubiese pasado. Me refiero a esa actitud en la cual todos se han dado cuenta de lo mal que estás y lo mal que te va, menos tú. A ti te parece que todo está normal.

Recuerdo que mucho tiempo después la gente del residencial comenzó a decir cosas de mí en la comunidad. Le decían a mi mamá que iba a ser un tecato (adicto a drogas), que sería un vagabundo y estaría pidiendo dinero en los semáforos del pueblo de Bayamón.

Fueron días muy duros para mi mamá y mi familia, ya que, aunque ellas nunca creyeron aquellas palabras ni las hicieron saber a los demás, estas causaban un gran dolor en lo íntimo de su corazón. Mi mamá siempre se decía dentro de sí: "Señor, mi hijo no será nunca eso, mi hijo será un gran hombre de Dios".

Edificio sin fundamento

Mi vida estaba girando en una construcción falsa de imágenes, películas e ideas que solo yo había creado en mi propio mundo ficticio. Claramente todos sabemos que, si Dios no edifica la casa, en vano trabajamos nosotros. Es que a veces nosotros no entendemos las cosas que Dios nos habla, las visiones que Él nos muestra, por la sencilla razón de que andamos más pendientes de lo que se dice de nosotros en la tierra que de lo que se escribió acerca de nosotros en el cielo, en lo eterno.

Por eso he aprendido que no se puede trabajar, diseñar o edificar algo en la tierra, si primero no es creado, trabajado y edificado en el cielo. Cuando estudias el contexto de lo que el salmista relató en el Salmo 127:1, te darás cuenta de que el sabio Salomón escribió este salmo cuando un día iban un grupo de peregrinos camino al templo y ellos en su cántico decían:

> Si el SEÑOR no edifica la casa, en vano se esfuerzan los albañiles. Si el SEÑOR no cuida la ciudad, en vano hacen guardia los vigilantes.

No podemos hacer de nosotros un modelo en la tierra sin que ese mismo modelo haya sido creado y formado en el cielo. No podemos hacer cosas en nuestro diseño que primero no hayan sido hechas por el Arquitecto en el diseño de Él. Era lo que yo trataba de comprender.

Pasaron los años y yo seguía sin rumbo y sin dirección hasta que un día unos muchachos del residencial fueron a un retiro católico llamado Juan 23, sí, así mismo como lo acabas de leer, un retiro católico. Allí sus vidas fueron transformadas.

Ellos siempre me decían: "Pulguita (así me conocían en el residencial), creo que tenemos la solución para ti y esa solución, sin duda alguna, es Cristo". Yo en rebeldía les decía que no quería saber nada de Dios y que se fueran con el cuento a otro.

Pasó un buen tiempo y un día, cansado de la misma vida que estaba llevando con problemas, situaciones y muchas otras cosas más que cayeron de momento, empecé poco a poco a rendirme y llegó el fuerte sentimiento cuando quise dejarlo todo. Fue cuando sin nada más que hacer tuve que reconocer que necesitaba probar algo que nunca había probado.

NINGÚN DISEÑO PUEDE VOLVER A SU ESTADO ORIGINAL SI PRIMERO NO VAS A SUS PLANOS ORIGINALES.

Necesitaba sin duda alguna darle un giro a mi vida y sabía que la respuesta a muchas de mis interrogantes las iba a conseguir asistiendo al retiro que por mucho tiempo me había negado a asistir.

Les dije a ellos: "Ya no puedo más, no puedo con esta persecución que siento. Yo necesito que me lleven a ese lugar donde sus vidas fueron cambiadas, yo necesito vivir lo que ustedes vivieron, yo necesito de una vez por todas responder a esa voz que me ha estado llamando. Ya mi vida no vale nada, está destrozada y no tengo nada más que hacer. Lo he intentado todo, lo he probado todo, pero ese todo no me ha funcionado en nada".

Había estado tratando de poner ladrillos sobre ladrillos, pero me era difícil poder sostener el falso edificio que había creado arriba. Porque en la vida nunca se logrará poner un fundamento sobre el que ya está puesto, que sin duda es Cristo.

> *Según la gracia que Dios me ha dado, yo, como maestro constructor, eché los cimientos, y otro construye sobre ellos. Pero cada uno tenga cuidado de cómo construye, porque nadie puede poner un fundamento diferente del que ya está puesto, que es Jesucristo. Si alguien construye sobre este fundamento, ya sea con oro, plata y piedras preciosas, o con madera, heno y paja, su obra se mostrará tal cual es, pues el día del juicio la dejará al descubierto. El fuego la dará a conocer, y pondrá a prueba la calidad del trabajo de cada uno. Si lo que*

*alguien ha construido permanece, recibirá su
recompensa, pero, si su obra es consumida por
las llamas, él sufrirá pérdida. Será salvo, pero
como quien pasa por el fuego.*
(1 Corintios 3:10-15)

El poder de una visión con promesa

Fue cuando comencé a recordar las veces que veía a mi
Abuelito predicar y dentro de mí siempre decía: "Eso que
él hace me gusta, pero no siento hacerlo ahora". Lo que no
sabía era que humanamente yo no quería, pero lo divino
estaba conspirando en mi contra, y a favor para que en
algún momento eso se materializara.

¿Cuántas veces te has sentido que no estás listo para algo,
que no estás listo para responder? Pero sin duda alguna
es cuando más Dios te empuja a realizarlo. Tal vez tienes
en mente la idea de abrir un negocio, de realizar algún
proyecto, de dar el paso para dejar algo que no te es de
provecho, y por el miedo o el qué dirán de las personas
aun no te has atrevido.

Hoy es un buen día para decirte: No más, ya no seguirás
sembrando en la visión de otro, en el sueño de otro, cuando
Dios te dio tu propia visión y te dio tu propio sueño para
convertirte en un emprendedor y en alguien de bien para
la sociedad y para la generación en la cual estás viviendo.

Mientras escribo estas líneas estoy sintiendo ahora mismo que el derrumbe de alguien que está leyendo esto está a punto de acabarse de una vez y por todas. Hoy se va a activar algo en ti que dirás:

No más vida de derrumbe. Este es mi tiempo y voy a comenzar a construir, pero ya no lo haré en mis fuerzas, sino en las de Dios, que son mucho mayores que las mías.

Hoy es ese día de activación que estabas esperando y esta historia te está empujando a que te lances en fe y digas: "No más; no más tristeza, no más dolor, no más sufrir, hoy me levanto en el poder de la Palabra y creo por cosas mucho mayores para mí". Cuídate de no olvidar estas palabras de poder:

La visión se realizará en el tiempo señalado; marcha hacia su cumplimiento, y no dejará de cumplirse. (Habacuc 2:3)

Pasos inciertos en medio del derrumbe

Para el retiro, me llenaron lo que ellos llamaban como la ficha y llegó el día del retiro; era un viernes 5 de diciembre del 2005. Con incertidumbre, temor y pensamientos de locura decidí por primera vez en mi vida hacer algo contrario a lo que mi carnalidad y las voces contrarias me estaban pidiendo. Aquel día me despido de mi familia y mi madre me dice: "Hijo, yo oré por mucho tiempo por este día y sé que algo grande saldrá de esta decisión. Te adelanto que no será nada fácil, pero tampoco será imposible".

Partimos hacia la casa de retiro, en un monte bien apartado en uno de los pueblos de Puerto Rico. Cuestas, curvas, árboles, y para colmo, no había señal de teléfonos móviles. Allí iba Ángelo a un lugar completamente desconocido.

Recuerdo llegar aquella noche del viernes a aquel lugar, ya había cientos de personas antes que nosotros allí y de repente unas puertas de color blancas se abren de par en par. Las personas gritaban, aplaudían y yo decía: "Esta gente está loca, ¿qué rayos les pasa?".

Cuando comenzaron a llamar por lista a cada uno de los retiristas, de momento, lo inesperado sucedió. Al mencionar los nombres de sus seres queridos o participantes las personas gritaban: "Llévatelo, Cristo". En ese momento mi cara se transformó por completo y pensé: "¿A dónde rayos me llevará Cristo?" (sé que tu cara ahora mismo tal vez es la misma que tenía yo, pero ahí seguimos...).

Dentro de un rato mencionaron mi nombre y allí iba el Flaco, Pulguita, el hijo de Noemí, adentrándose a un lugar completamente desconocido.

Recuerdo que esa primera noche fue muy confrontadora para todos los allí presentes en cuanto a los mensajes expuestos.

Mi vida comenzaba a desmoronarse poco a poco, lentamente, y el falso molde que había creado por muchos años comenzaba a hacerse pedazos y a caer por el suelo. Acabó ese viernes y llegó el sábado en donde vinieron muchos pensamientos que me decían "levántate y vete de aquí que pierdes tu tiempo". Pero decidí por vez primera en mi vida darle al corazón la oportunidad de decidir, y allí permanecí.

La noche del sábado de ese fin de semana fue completamente crucial, ya que nos habían hecho trizas con cada mensaje y cada experiencia de cada predicador y conferencista. Pero esa noche, sí, esa noche de sábado se rompió lo que faltaba por romper en mi vida. Fue el momento cuando hicieron el llamado y todos pasaron menos yo.

Allí, en aquella mesa, comencé a pelear con mi yo interno, con mi ego, con mi orgullo de macho alfa, con mi verdadero yo que me pedía libertad, y ciertamente fue una batalla fuerte hasta que entre lucha y pensamientos malos me puse en pie y caminé hacia donde todos estaban.

Y yo solo en aquella silla, sin que nadie me orara, sin que nadie me tocara, sin una palabra de un ser humano, fue cuando le dije a Dios las palabras más desafiantes en toda mi vida:

No sé si usted existe o no, ya que usted no estuvo cuando mi papá se fue de mi casa;

usted tampoco ha estado en los momentos donde más he necesitado de alguien que me escuche, entre muchas cosas más. Pero si tú de verdad estás aquí y tú de verdad me oyes, yo quiero hacer negocios ahora contigo, no más intermediarios, no más ayudadores, no más Noemí o Benjamín Caraballo. Vine seriamente a llegar a un trato entre usted y yo. Si tú me sacas y ayudas a salir de las calles y de las drogas, yo propongo y hago un pacto hoy contigo, y te entrego toda mi vida en servicio a ti.

Aquel fin de semana de diciembre del 2005 quedó plasmada para siempre en los libros sagrados, la historia de mi vida. Salí de ese fin de semana transformado por el poder de Dios y fui a enfrentar mi más dura batalla: al gigante de la calle y de la droga.

En algún momento, todos hemos tenido que enfrentar a un gigante. Hay algunos que tienen la capacidad de vencerlos de manera rápida, pero habrá otros que no necesariamente podrán hacerlo igual. He aprendido que hay gigantes de todo tipo, y en diversos procesos siempre te toparás con alguno de ellos en el caminar.

No más, ya no seguirás

sembrando en la visión de otro,

en el sueño de otro,

cuando Dios te dio tu propia

visión

y te dio tu propio sueño

para convertirte

en un emprendedor.

Hay caminos que son inciertos,

pero dentro de ellos recibirás

la paz que nunca habías recibido.

10 UNA FE QUE PERMANECE, AUNQUE OTROS SE DETENGAN

Desde los días de Juan el Bautista hasta ahora, el reino de los cielos ha venido avanzando contra viento y marea, y los que se esfuerzan logran aferrarse a él. (Mateo 11:12)

Aquí lo interesante no es tener algún gigante en la vida porque todos los tenemos, pero una buena pregunta sería: ¿Qué de los gigantes que no podemos ver?

Creo que una de las situaciones más complejas en esto del evangelio es que siempre nos enseñaron a enfrentar a los gigantes que veíamos. No tengo problema con eso, ¿pero y los que nadie veía, solo tú? ¿Cómo les decíamos a las personas que había gigantes invisibles? Son muchas las preguntas que nos haríamos a la hora de postular un punto como este. Porque todos o casi todos, eso creo, conocemos la historia que comentamos anteriormente sobre David y Goliat.

Goliat es lo que llamo un gigante que todos ven, pero ¿qué hay después de esa historia? Algo sumamente más fuerte aun, porque era el momento donde a David le tocaba enfrentar al gigante silencioso y que nadie veía; solo él lo podía ver.

En 1 Samuel 18 en adelante vemos cómo el gigante llamado Saúl se levantaba contra David en un escenario donde solo estaban ellos dos. Creo que fue la batalla más grande de todas las batallas que pudo haber enfrentado David en ese momento. Sentimientos de traición, de impotencia, en momentos tener que cruzar las manos por no contra atacar lo que este le hacía, solo porque él sabía que Saúl era el ungido de Dios en ese momento.

Creo que muchas cosas sucedieron en la vida de David que fueron los escalones que Dios utilizó para llevarlo al destino que Él había preparado y prometido para David.

Son en ocasiones los mismos sentimientos que tocan a tu puerta y que en ocasiones desearías poder resolver de una, pero se nos hace imposible.

Tal vez leyendo ya estas últimas líneas, podrías identificarte de manera que me dijeras: "Ángelo, eso mismo es lo que ando atravesando. Tengo miles de gigantes invisibles que no he podido vencer y tengo temor a seguir mi rumbo al destino que se preparó de antemano para mi vida".

Eran los mismos temores que había en mi vida en aquel momento cuando decidí tomar la mejor decisión que he tomado en toda mi existencia. Pero no fue tan fácil que todo fuera como dicen por ahí: color de rosa.

Fueron muchos los pensamientos de querer volver al pasado y dejar que el gigante me venciera como lo había logrado por un lapso de ocho años. Pero no, no, solo decidí emprender un rumbo que no sabía a dónde me llevaría, pero sentía paz en ese momento porque aprendí que hay caminos que son inciertos, pero dentro de ellos recibirás la paz que nunca habías recibido.

En aquel momento comencé a dar mis primeros pasos como un nuevo creyente en la fe, pero había una situación. Esta vez estaba dentro de un escenario desconocido para mí, que era el escenario católico. Como ya habíamos hablado al principio de este libro, había sido criado en la Iglesia Cristiana Evangélica Pentecostal. Fueron duros esos primeros meses, ya que me tenía que adaptar a un lugar que no era lo que me habían enseñado a mí, pero allí estaba sintiendo a plenitud todo el amor de Dios y de mis nuevos hermanos.

Aún recuerdo esos primeros meses donde tenía que escuchar a mi abuelo, el Pastor, en una "tiradera" constante hacia mi persona y hacia la religión donde había tomado la decisión de estar en aquel momento. Todos sabemos que al sacerdote en las comunidades se le conoce como el "Párroco", pero lo gracioso de todo era que cada vez que llegaba a casa de mi Abuelito, este me decía: "Nene, y qué, ¿cómo está el 'Pajarraco'?" (palabra usada por mis Abuelitos).

Eran momentos de risas, pero a su vez veíamos a Dios poco a poco hacer la obra en mi vida personal y en todo mi entorno. Fueron muchos cambios, pero no tenía la menor duda de que estaba en el lugar correcto y junto a las personas correctas por esa temporada.

Católico con máscara de pentecostal

Antes de entrar en este tópico, deseo aclarar algo, ya que sé que vendrán los religiosos a hacernos una gran guerra. Uso este término porque así era que nos llamaban a mí y al grupo en el cual estaba, pero no tenemos nada en contra de nuestros hermanos que profesan la fe católica.

Al contrario, actualmente en nuestro equipo de trabajo ministerial tenemos personas que pertenecen a la iglesia católica y nos ayudan como parte del ministerio. Soy de las personas que no les gusta que nadie que profesa otro credo critique a los católicos, pues vengo de ahí, los considero mi familia extendida y siempre los consideraré.

Adonde te quiero llevar es que comencé a servirle a Dios ahí en la iglesia católica y un año después de haberle entregado mi corazón a Jesús, ya estaba predicando en los retiros. Fue un aceleramiento sobrenatural que empecé a vivir. Son experiencias que jamás olvidaré y no importa donde me encuentre hoy, fueron mis inicios de pura locura, pero con mucha hambre y pasión por buscar su presencia y tenerlo a Él.

El ministerio comenzó a expandirse de manera rápida y empecé a ministrar en diversos retiros y parroquias alrededor de la isla. Aún recuerdo cuando llegaba la Semana Santa. Eran múltiples invitaciones a ministrar en las pascuas juveniles y allí vivimos la gloria de Dios junto a cientos de jóvenes que llegaban. El grupo de jóvenes siguió creciendo y cada día anhelaba más de la presencia del Espíritu Santo.

A decir verdad, comenzamos a tener diversas situaciones con líderes por nuestra manera y carisma, a tal grado que cuando llegábamos a alguna actividad las personas decían: "Ahí llegaron los católicos con máscaras de pentecostales". Estos se referían a nuestra manera de predicar, alabar y buscar a Dios. Era un alboroto que formábamos en cualquier lugar donde nos metíamos.

Seguimos creciendo hasta tener a cargo diversos grupos y llegamos a ser líderes principales de ellos. Fueron años grandiosos que jamás cambiaría por nada del mundo. Comenzamos a ver milagros, sanidades, las señales nos acompañaban a los lugares que íbamos. Fue algo glorioso, sin duda alguna, porque creíamos en su poder.

Estas señales acompañarán a los que crean: en mi nombre expulsarán demonios; hablarán en nuevas lenguas; tomarán en sus manos serpientes; y, cuando beban algo venenoso, no les hará daño alguno; pondrán las manos sobre los enfermos, y estos recobrarán la salud. (Marcos 16:17-18)

Momento decisivo

Yo sabía en mi interior que algo no estaba bien dentro de ese proceso en mí. Te preguntarás: "¿Ángelo, por qué lo dices?". Porque estaba ministrando perdón, pero no lo vivía. Sabía que aun dentro de todo ese proceso no había perdonado a mi papá por el hecho de haberme abandonado. Hablaba del perdón de Dios a cientos de jóvenes, pero ¿cómo hablar de algo que no se vive? ¿Cómo enseñar algo que no se sabe?

Fue cuando Dios comenzó a confrontarme y un día, orando, todo mi ser fue sacudido por las palabras que Dios hablaba sobre mi vida. Él habló a mi corazón y me dijo: "¿A quién estás predicando? ¿De quién estás hablando?". Le respondí: "Hablo de tu persona, Dios, de tu presencia". Su respuesta fue: "Yo no te conozco".

Wao, fue un momento muy fuerte. Mi vida, por vez primera después de aceptar a Jesús, fue sacudida y confrontada por la verdad. Fue el día que aprendí que el perdón muchas veces no tiene que ver nada con la otra persona, sino que tiene que ver más contigo mismo y con tu bienestar emocional.

Aprendí que cuando perdonas te liberas a ti y luego liberas a la otra parte. No pude conocer el amor de Dios hasta que di el paso de perdonar a mi papá. Lo logré. Pude perdonarlo y liberar mi alma. Creo que en un futuro escribiré más acerca de esto en un libro que relate esta experiencia en específico.

Actualmente tenemos la relación más grandiosa que he tenido con alguien. Mi papá es mi alegría en momentos de tensión y estrés. Como digo yo, es el loco más grandioso que he conocido jamás.

Pero todo ese proceso me costó mucho trabajo, lágrimas, sufrimiento y dolor, pues había creado un molde falso y tener que romperlo me costó muchísimo trabajo. Fue como ir en contra de la corriente para encontrar la salida que necesitaba. Entonces fue cuando se me hicieron reales las palabras que Jesús enseñó de que el reino de los cielos avanza contra viento y marea.

Desde los días de Juan el Bautista hasta ahora, el reino de los cielos ha venido avanzando contra viento y marea, y los que se esfuerzan logran aferrarse a él. (Mateo 11:12)

Contra el viento, a tu favor

Me gusta mucho ese pasaje. Ir a favor de unos vientos es muy fácil, pero de vez en cuando tienes que ir en contra para llegar al lugar que deseas. Es algo loco, sin razón, ni comprensión. Para alcanzar algo, en ocasiones necesitas ir en contra y no tan solo en contra, sino que cuando lo halles esforzadamente, debes aferrarte a él con todas las fuerzas.

Así podría ser nuestra experiencia de reino aquí en la tierra. A veces hay que avanzar en contra de cosas que se nos presentan para poder hallar un estatus de lo que llamo elevación. Esto nos debe enseñar como personas que los vientos contrarios y fuertes no todo el tiempo vienen a traer destrucción, sino que ellos vienen a trabajar a favor de ti y de lo que deseas realizar.

Esos vientos me enseñaron una experiencia que tuve en un avión, y me dio mucha curiosidad sentir un día un fuerte halón en contra de algo.

Descubrí buscando información que para que un avión pueda despegar se necesitan vientos contrarios. Fue cuando dije: Ahora sí entiendo que todo lo que Jesús quería enseñarme en mi nuevo proceso era que hay vientos que vienen para que sientas la brisa cálida, pero...

Hay vientos que vienen a despertarte para llamarte a elevación.

Así es el reino. Avanza contra todo lo que se le pare al frente y para obtener algo de él, hace falta gente que se esfuerce y llegue a Él sin temor alguno. Realmente yo no quería hacerlo, pero el cielo irrumpía con violencia en mi mundo para empujarme a entender.

La fe no se detiene

Pasado el tiempo de todo este proceso de perdón hacia mi padre, comencé a darme cuenta de que los que un día me trajeron hasta aquí poco a poco se iban apartando de los caminos de Dios. Fueron días muy tristes para mí porque eran esos personajes que inyectaron fe a tu vida y al día siguiente estaban faltos de la misma fe que te compartieron. Uno a uno se alejó, y solo quedé yo en el camino con unos pocos más.

Entonces fue cuando tenía dos opciones: o me quedaba donde estaba o seguía tras ellos. Y fue cuando Dios me sostuvo de la mano y me dijo: "Sigue caminando, que yo estaré contigo siempre". Fue cuando mi fe continuó, aunque otros se detuvieran en sus caminos.

EPÍLOGO

UNSTOPPABLE GENERATION
(GENERACIÓN IMPARABLE)

A Charles Stanley, su abuelo le dijo:
"Hagas lo que hagas, obedece siempre a Dios".
–Del libro *Un hombre de Dios*

Estuvimos en la iglesia católica durante nueve años y allí fue donde nuestro ministerio comenzó a dar los primeros pasos como un ministerio evangelístico. No fue hasta el verano del 2013 que fuimos a un evento evangélico del Apóstol Guillermo Maldonado en la ciudad de Miami, Florida.

Estábamos en el "palomar", la parte más alta del estadio, y allí recibimos una palabra de parte de Dios, sin que nadie nos tocara, ni impusiera las manos: solo Dios y yo, y en ese momento me dijo: "Prepárate porque viene una transición".

Hoy cuando le contamos esto a las personas, todos nos preguntan lo mismo en cualquier lugar: "¿Ángelo, y qué pasó?". ¿Sabes que sucedió después de esa Palabra?

Esta historia continuará porque...
¡Somos imparables!

ACERCA DEL AUTOR

Ángelo M. Hernández es un joven Pastor, apasionado por llevar el evangelio de Jesús a la nueva generación, y ayudarles a superarse y hacer cambios positivos en su vida. Sin embargo, a Ángelo Ministry llegan personas de todos los perfiles demográficos.

Ángelo creció en la Iglesia Evangélica Pentecostal, donde su abuelo era Pastor. Aceptó a Cristo como su salvador personal en el retiro católico Juan 23. Fue líder evangelístico en la Iglesia Católica durante nueve años. En un servicio del Apóstol Guillermo Maldonado en Miami, Florida, recibió del Señor la instrucción de su transición de regreso a la Iglesia Evangélica.

Trabaja varios proyectos ministeriales y empresariales. Es el creador de "Unstoppables" (Imparables), evento realizado en distintas partes de Puerto Rico y los Estados Unidos, con el propósito de activar a esta generación a que tenga hambre, deseo y pasión por la presencia de Dios.

Ángelo posee un bachillerato en Ciencias Sociales con concentración en Trabajo Social, y ofrece mentoría a las empresas en calidad de orador motivacional.

FRASES DE FE PARA REDES SOCIALES

Cuando escribas sobre nosotros, incluye nuestros hashtags

#unstoppables #imparables #generacionimparable
#feinquebrantable #feimparable #fequepermanece
#angelohernandez #jesusalrescate #todopasara
#lapromesasecumplira #creeenlapromesa
#atreveteacreer #amordeDios #nomasderrumbe

Dios te mostrará hacia dónde vas, pero nunca te revelará el proceso que tendrás que atravesar.

Dios no tiene problemas; Él tiene soluciones.

Cuando Dios tiene una promesa sobre tu generación, no importa lo que suceda, verás su cumplimiento.

Para Dios no hay nada imposible.

Te tocará enfrentar batallas que son el escenario perfecto de promoción a lo próximo que el Padre tiene destinado para ti.

Tus caídas no son más grandes que la Palabra que hay en ti.

Todo pasará y estarás bien, sin importar lo que estés atravesando.

Cuando estás determinado a poner tu confianza en las manos de Dios, tendrás que prepararte para ver lo sobrenatural acontecer ante tus ojos.

Atrévete a creer por lo que aún no has visto, y recibirás cosas que jamás has tenido.

Se hace necesario que desaprendamos algunas cosas para que lo nuevo de Dios se manifieste en nuestras vidas.

Siempre habrá momentos para caminar, aunque no haya lugar a dónde ir.

Lo que Dios bendice es aquello que anda en orden y se mueve en obediencia.

Andamos más pendientes de lo que se dice de nosotros en la tierra, que de lo que se escribió acerca de nosotros en el cielo.

No podemos hacer cosas en nuestro diseño que primero no hayan sido hechas por el Arquitecto en su diseño.

Hay caminos que son inciertos, pero dentro de ellos recibirás la paz que nunca habías recibido.

Hay vientos que vienen a despertarte para llamarte a elevación.

DIRECCIONES DE ÁNGELO MINISTRY

facebook.com/angeloministry

instagram.com/angeloministry

youtube.com/user/angelosalmo40
"Angelo Ministry"

Made in United States
Orlando, FL
20 September 2024

51550075R00068